ガンが消える食べ物事典

PHP ビジュアル 実用BOOKS

○○せでガンに勝つ！

済陽高穂 監修

はじめに

　『今あるガンが消えていく食事』（マキノ出版）を2008年に上梓して、2年が過ぎました。「ガンが食事で治る！」そう信じて、食事療法に注目し、取り入れ始めた十数年前。詐欺師扱いされた当時に比べると、医学界、受療側である患者さん、ともに食事療法への意識が変わってきています。

　もちろん、今でも「食事でガンが治るなど眉唾！」という声は少なからず聞こえてきます。しかし、私は食事療法とガンの関係を周知するため、どのような食事をとればガンが治癒・改善するのか、これらの書籍を精力的に執筆し続けています。それは、ほかの医療機関では「手がつけられない」と宣告された進行ガンや晩期ガンの患者さんが、私のクリニックを受診されて、半数近くが生還を果たされている姿を見ることができるからです。なかには、お手紙やメールなどで、遠方で受診できないけれど、書籍を読んで自分なりの食事療法を続けた結果、「ガンが消えた」「縮小した」といった、うれしいご報告を受けることもあります。

　このような患者さんの声を聞くことができたときには、本当にうれしく思いますし、食事を中心とした栄養・代謝療法を研究してきてよかったと感じます。

　最近、『西台健康倶楽部』という、ガン検診・健康増進の会を発足しました。会では、私の講演以外に、早期の診断と治療による生還例や、食事療法を続けて治癒・改善した患者さんにご自身の体験談を発表していただいています。ガンの治療は長期間にわたります。また、いつもいい結果が出るわけではありません。劇的によくなる時期もあれば、それほど効果が出ないこともあるでしょう。そんなとき、実際に済陽式食事療法を実践し、ガンを克服した患者さんの言葉が励みになります。

　そもそも、私がガン治療に食事療法を取り入れたのは、西洋医学の限界を感じたからです。「一人でも多くの患者さんを救いたい」その願いは今も変わっていません。

　ガン体質の改善には食事の見直しが必須です。本書が一人でも多くの患者さんとご家族に役立つことを切に祈っています。

西台クリニック院長　済陽高穂

もくじ

はじめに ……………………… 2

本書の特徴 ……………………… 8

プロローグ 済陽式食事療法がガンに効く理由

有効率60％以上の済陽式食事療法 ……………………… 10

済陽式食事療法の8大原則 ……………………… 12

ふだん食べているものが健康を左右する ……………………… 14

ガンが消える食事とは正常な代謝を促す食事 ……………………… 16

今日から始める体質改善 ……………………… 18

第1章 免疫力を高め、ガンを消す食べ物

半年から1年間は続けよう
からだを守る「免疫力」のしくみ ……………………… 20

①免疫力を高める食べ物 ……………………… 22

24

②クエン酸代謝を活発にする食べ物 ……26
③ミネラルバランスを整える食べ物 ……28
④腸内環境を整える食べ物 ……30
一目でわかる！ ガン予防に効く食べ物のとり方 ……32
ガンが消える食べ物の組み合わせ ……34

第2章 ガンが消える食事 1週間の献立

済陽式食事療法は厳しくない!? ……36
しぼりたてのジュースがいちばん！ ……38
済陽式食事療法の基本となるジュース ……40

ガンが消える食事 1週間の献立

月曜日　朝食…42　昼食…43　夕食…44
火曜日　朝食…46　昼食…47　夕食…48
水曜日　朝食…50　昼食…51　夕食…52
木曜日　朝食…54　昼食…55　夕食…56
金曜日　朝食…58　昼食…59　夕食…60

土曜日　朝食…62　昼食…63　夕食…64
日曜日　朝食…66　昼食…67　夕食…68
減塩食をつくるときのポイント……70

第3章 ガンが消える食べ物事典

野菜・いも類・穀類

キャベツ…72／ブロッコリー…73
大根…74／かぶ…75／小松菜…76
春菊…77／ほうれん草…78
あしたば…79／菜の花…80
モロヘイヤ…81／サニーレタス…82
アスパラガス…83／にんじん…84
ピーマン…85／トマト…86
きゅうり…87
なす…88／かぼちゃ…89／玉ねぎ…90
ねぎ…91／にら…92／にんにく…93
じゃがいも…94／さつまいも…95
山いも…96／大豆…97／玄米…98
そば…99

果物

りんご…100／レモン…101／みかん…102
バナナ…103／ベリー類…104
プルーン…106／パパイア…107

海藻類・きのこ類

海藻類……108／きのこ類……109

香辛料・飲み物

ハーブ……110／しょうが……112／ごま……113
わさび……114／ウコン……115／緑茶……116
紅茶……117／コーヒー……118／ココア……119
はちみつ……120／梅酒……121

動物性食品

鶏肉……122／卵……123／青魚……124／鮭……125
貝類……126／甲殻類……127／ヨーグルト……128

第4章 ガンを引き起こすさまざまな要因

ガンを促進する動物性たんぱく質……130
脂質にはいいモノと悪いモノがある……132
食品添加物がガンを引き起こす!?……136
ガンのリスクを高めるタバコとアルコール……138
知っておきたい農薬のリスク……140
安心・安全な水はどんなもの?……141
目で見る食べ物とガンの関係……142
エネルギーがつくられる過程……144

第5章 ガン体質改善に必要な栄養素の基礎知識

- 代謝の基本となる三大栄養素 …… 146
- 代謝に欠かせないビタミン …… 148
- 生命の維持に必須なミネラル …… 150

付録 ガンに効く栄養素 …… 152

さくいん …… 159

本書の特徴

ガンと食事の関係をわかりやすく解説し、ガンに効く栄養素も詳しく紹介しています。第2章では1週間分の献立レシピ、第3章ではガンに効く食べ物を紹介し、済陽式食事療法が実践しやすい内容となっています。

アイコン
第3章ではガンに効果があるものを、「免疫力」「腸内環境」「ミネラルバランス」「クエン酸回路」という4つのカテゴリーに分類し、それぞれの食べ物がどれに効くのかアイコンですぐにわかります。

最新の研究データ
本文ではガンに効く栄養素の紹介や、ガンと食事に関する動物実験や調査の結果などをわかりやすく紹介しています。

キャベツ（野菜・いも類・穀類）

ガン予防効果で高い評価を受けている

イオウ化合物が発ガン物質を抑える
キャベツの有効成分でもっとも有力なものはイソチオシアネートです。これはアブラナ科の野菜に含まれているイオウ化合物で、発ガン物質を抑制してガンを防ぐ働きがあります。タバコの煙に含まれる発ガン物質が原因で生じる肺ガンや肝臓、胃、大腸などのガンに有効という報告があります。次に知られているものはペルオキシダーゼです。これは辛みのもとにもなる成分で、ニトロソアミンなどの発ガン物質を無毒化する働きがあります。アメリカ国立ガン研究所が発表した「デザイナーフーズ・ピラミッド」では、ガンを予防する食品として、2番目に高い評価を受けました。

ビタミンC・ビタミンUも豊富
ほかにもガン予防に有効なビタミンが豊富です。ビタミンCは発ガン予防効果が確認され、膀胱ガンや大腸ガンを縮小させるという報告もあります。一般に、ビタミンCは加熱すると半分以下に減り、千切りにして水にさらすと約20％が失われます。また、キャベツには胃腸の粘膜を保護して、胃・十二指腸潰瘍を予防・改善するビタミンUも含まれています。豊富な食物繊維は便通をよくして腸内環境を整え、大腸ガンをはじめ生活習慣病の予防と改善に役立ちます。

キャベツの基本データ

基本データ
アブラナ科アブラナ属　旬は春と冬
エネルギー (100g) ‥‥‥‥ 23kcal

多く含まれる栄養素
ビタミンC (100g) ‥‥‥‥ 41mg
ビタミンK (100g) ‥‥‥‥ 78μg
パントテン酸 (100g) ‥‥‥ 0.22mg

ガンに効く栄養素
イソチオシアネート (152ページ)、ペルオキシダーゼ (156ページ)、ビタミンC (25ページ)、ビタミンU (155ページ)

このガンに効く！
肺ガン、肝臓ガン、胃ガン、大腸ガン、膀胱ガン

基本データ
旬の季節、エネルギー量、ガンに効く栄養素、どのガンに効くのかなど、わかりやすくまとめています。多く含まれる栄養素は100g中に含まれる分量（日本食品標準成分表より）を示しています。

ガンに効く食べ合わせ
キャベツはβカロテンをそれほど多く含んでいない。緑黄色野菜をいっしょにとるとよい。

βカロテンを多く含む食物
ほうれん草 78ページ　ブロッコリー 73ページ　小松菜 76ページ

レシピ掲載ページ
40ページ、45ページ

ガンに効く食べ合わせ
すべての栄養素がひとつの食べ物でとれるわけではありません。不足しているグループを挙げ、組み合わせてとるとよい食べ物を紹介しています。

レシピ掲載ページ
第2章では1週間分の献立やジュースのレシピを紹介しています。レシピの掲載ページを挙げているので、一例として参考にしてください。

プロローグ

済陽式食事療法が ガンに効く理由

有効率60％以上の済陽式食事療法

ガン治療に食事療法を取り入れたきっかけ

余命数カ月と診断された患者さんのガン組織が消失したり、いつまでも元気にすごしたり、奇跡のような回復力をみせる患者さんがおられます。

外科医として長年、ガンを手術で治そうとしてきて、そのような患者さんを目の当たりにして、ガンに対する考え方が変わっていきました。

最初のきっかけは、根治治療が難しいほど進行した肝臓ガンの患者さんが、徹底した食事療法を行った結果、1年半後にガンの病巣がきれいになくなったことです。ほかにも食事療法の実施によりガンが改善する例を複数経験して、これが特殊な例ではないと感じ始め、それからさまざまなガンの食事療法を参考にして済陽式食事療法を考案しました。

これには2002年に行った、手術の遠隔成績である5年生存率の結果も影響しています。当時勤務していた都立荏原(えばら)病院で手術した消化器ガンの患者さんの追跡調査を行いました。

5年生存率とは、治療して5年たったときに、何％の方が生存しているかという ガン治療の目安となる数字です。目に見える病巣を切除した、一般的には手術や治療が成功したケースで調査します。

調査数は大腸ガン623例、胃ガン487例、肝臓ガン143例など合計1406例でした。この結果は想像以上に低い数値でした。大腸ガンは68％、胃ガンは47％、肝臓ガンは9％、もっとも低い膵臓ガンは35％、全体の平均は52％だったのです。せっかく手術をしても5年後には約半数の患者さんが亡くなる現実に愕然とし、食事療法の研究と実践に力を入れるきっかけとなりました。

有効率60％を超える治療成績

済陽式食事療法の詳細は後ほど述べるとして、最初は手探りのなか始めたこの食事療法が、驚くほどの効果を発揮していきました。ほかの医療機関で「治療の術(すべ)がない」と見放された患者さんが、次々に回復していったのです。そもそも、食事療法に注目したのは、食事療法を実践していた患者さんの回復力に注目したので、当たり前なのかもしれませんが。

患者さんの体験談は、別の著書でも紹介していますが、これまでの治療成績は有効率64・5％、完全治癒が30例、改善したケースは106例です。約半数は手術ができない進行ガン、約4割は再発や離れた臓器への転移があって治療が難しいとされる晩期ガンですから、かなり高い数値といっていいでしょう。

プロローグ ■ 済陽式食事療法がガンに効く理由

済陽式食事療法のポイント

消化器ガンの術後5年生存率

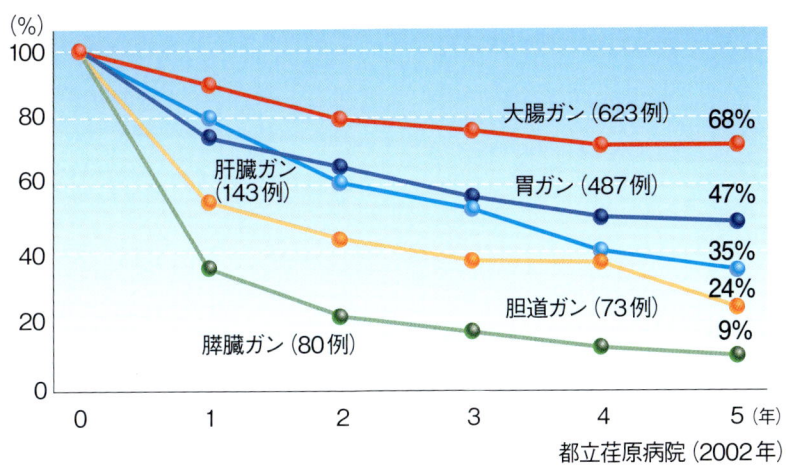

- 大腸ガン（623例）68%
- 胃ガン（487例）47%
- 肝臓ガン（143例）35%
- 胆道ガン（73例）24%
- 膵臓ガン（80例）9%

都立荏原病院（2002年）

済陽式食事療法の治療成績

症例（数）	完全治癒	状態が改善	変化なし	進行した	死亡
食道ガン（7例）	2	1	0	0	4
胃ガン（30例）	3	15	0	1	11
肝臓ガン（8例）	2	3	0	1	2
膵臓ガン（13例）	1	5	0	2	5
胆道ガン（9例）	1	3	0	1	4
大腸ガン（60例）	4	32	1	2	21
前立腺ガン（17例）	7	8	0	0	2
乳ガン（26例）	6	13	1	1	5
悪性リンパ腫（12例）	1	10	0	0	1
その他（29例）	3	16	0	2	8
合計　211例	30	106	2	10	63

西台クリニック（2010年・平均調査期間3年6カ月）

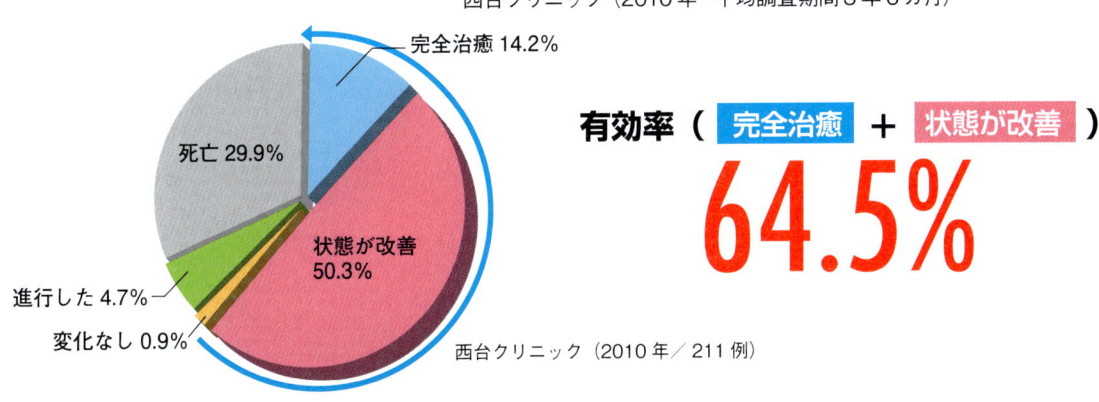

- 完全治癒 14.2%
- 状態が改善 50.3%
- 変化なし 0.9%
- 進行した 4.7%
- 死亡 29.9%

有効率（完全治癒 + 状態が改善）
64.5%

西台クリニック（2010年／211例）

済陽式食事療法の8大原則

① 塩分はかぎりなく無塩に近づける

塩分をとりすぎると体内のミネラルバランスが崩れ細胞の代謝がスムーズにできず、ガンになりやすい体質になります（詳細は28ページ）。

そのため、済陽式食事療法では可能なかぎり塩分をとらないようすすめています。塩分をとらなくて大丈夫なのかと心配する人もおられますが、食べ物（特に魚介類や海藻類）にはそもそも塩分が含まれています。生命維持に必要な塩分は1日に2～3g。この程度なら自然の食べ物に含まれています。

むしろ、調味料をたっぷり使ったり、塩分が多く含まれる加工食品をたくさん食べているため、昔に比べるととっている塩分が増えてしまっています。

ガン治療中 できるだけとらない
再発予防 1日5g以内が目標

② 動物性たんぱく質・脂質を制限する（四足歩行動物）

アメリカの研究で、動物性たんぱく質とガンが密接に関係していることがわかりました（詳細は130ページ）。さらに動物性脂質に多く含まれる飽和脂肪酸はガンを招き、免疫力を低下させてしまいます（詳細は132ページ）。

これらを多く含む四足歩行動物（牛・豚・羊など）は、ガン治療中の半年から1年間は厳禁です。食事療法の効果を高めるためには玄米菜食が基本ですが、それでは続けられないという人は、鶏肉や魚介類を中心に適度な量をとりましょう。

ガン治療中 四足歩行動物は半年から1年間は厳禁。1日1個の卵。1週間に2～3回、通常の半量程度の鶏肉や白身魚、貝類、甲殻類はとってもよい
再発予防 基本は1日1個の卵と1日1回の鶏肉、1日1回の魚介類。四足歩行動物は週に1回程度

また、豆類（大豆）に含まれるイソフラボンは抗ガン作用（詳細は97ページ）がありますし、ガン予防によい食物繊維（詳細は31ページ）を含んでいます。いも類も同様におすすめです。

ガン治療中
毎日1食は玄米、胚芽米、五穀米、全粒粉パンやスパゲッティ。豆類、いも類は1日1回
再発予防
週に1～2回は玄米ほか。豆類、いも類は1日1回

③ 新鮮な野菜と果物（低・無農薬）を大量にとる

体内には活性酸素という細胞を酸化（さび）させる物質が存在し、ガンの要因には過酸化脂質という酸化した脂が関係しています（詳細は24ページ）。

野菜や果物にはこれらを無害化する抗酸化物質（詳細は24ページ）のほか、余分なナトリウムを排泄して体内のミネラルバランスを調整するカリウム（詳細は28ページ）も豊富に含まれています。

ガン治療中 1日に大量の野菜と果物（1.5ℓのジュースと野菜500g）
再発予防 1日200～500mℓのジュースと野菜350～500g

プロローグ　済陽式食事療法がガンに効く理由

済陽式食事療法のポイント

④ 胚芽を含む穀物、豆類、いも類をとる

最近、ガンとクエン酸代謝との関係が注目されるようになりました。クエン酸代謝はからだを動かすエネルギーを体内でつくるシステムです（詳細は26ページ）。クエン酸代謝を行うクエン酸回路がスムーズに働かなくなると、ガンだけでなくさまざまな病気を招きます。

穀類の胚芽にはクエン酸回路をスムーズに働かせるビタミンB_1が含まれています。近年、ガンが増えてきたのは、精米技術が進歩してビタミンB_1をあまりとらなくなったことも関係しているのでしょう。

⑤ 乳酸菌、海藻類、きのこ類をとる

腸内環境が免疫力を左右することが、最近の研究で明らかになりました（詳細は30ページ）。また、腸は体内の老廃物や有害物質を便といっしょに体外に排泄するという大切な役割があります。腸内環境を整えることはガン予防だけでなく、すべての病気予防に大切です。腸内環境を整える乳酸菌、食物繊維を多く含む海藻類やきのこ類を積極的にとりましょう。海藻類やきのこ類には抗ガン作用のある成分も含まれています。

> **ガン治療中** ヨーグルトは1日300〜500g。海藻類、きのこ類はそれぞれ1日1回
> **再発予防** ヨーグルトは1日300g。海藻類、きのこ類はそれぞれ1日1回

⑥ レモン、はちみつ、ビール酵母をとる

レモンには抗酸化作用が強いビタミンCとクエン酸回路をスムーズに働かせる成分が含まれています（詳細は101ページ）。はちみつは古くより薬として用いられてきた、免疫力を高める食べ物です（詳細は120ページ）。毎日とりましょう。

ビール酵母（エビオス錠）はたんぱく質補給によいサプリメントです。玄米菜食を続けると動物性たんぱく質（アミノ酸）が不足しがちになるので、毎日飲みましょう。

> **ガン治療中** レモンは1日2個、はちみつは1日大さじ2杯、エビオス錠は1日20錠
> **再発予防** レモンは1日1個、はちみつは1日大さじ2杯

⑦ 油はオリーブ油かごま油

調理油にはいろいろな種類がありますが、これにも気を遣いましょう（詳細は133ページ）。酸化しやすいものは避け、オリーブ油、ごま油など一価不飽和脂肪酸が多く含まれるものをとるようにしましょう。加熱調理には酸化しにくいオリーブ油がおすすめです。

> **ガン治療中** 量は控えめに
> **再発予防** とりすぎないよう注意する

⑧ 自然水の摂取

水道水には発ガンを誘発する残留塩素が含まれています（詳細は141ページ）。その量は微量ですが、毎日とり続けてしまいます。

済陽式食事療法では飲み水はできるだけ自然水を飲むようすすめています。難しい場合は浄水器をとりつけるようにしましょう。

> **ガン治療中** ナチュラルミネラルウォーター
> **再発予防** 浄水器の設置がおすすめ

こんな食事がガンを招く！

ふだん食べているものが健康を左右する

**肉や塩分たっぷり
タバコもアルコールも楽しむ**

ガン細胞が発生する要因はたくさんありますが、体内の代謝がうまくできなくなったときに、起こりやすくなると考えられています。

さらに、ガンの要因の約半分は口から入るものといわれます。味つけは濃いほうが好きで塩分をたっぷりとる、牛肉や豚肉が大好きで毎日食べている、野菜や果物は嫌いであまり食べない、手軽な加工食品やファストフードを好んで食べる。こんな食生活を送っていると、ガン体質へまっしぐらです。

これに、タバコを吸う、毎日の晩酌が欠かせないなどがプラスされると、ガンにならないほうが不思議といってもいいくらい、発ガンのリスクが非常に高くなります。今すぐ見直しましょう。

プロローグ ■ 済陽式食事療法がガンに効く理由

こんな食事がガンを消す！

済陽式食事療法のポイント

旬の食材を味わう
日本の伝統食がガンを防ぐ

縄文時代は、精米していない穀類を主食として、季節の魚介類をメインのおかずにし、野菜や海藻類、きのこ類はもちろん、大豆やいも類をたくさん食べていました。実はこれこそが、10年以上ガンと食事との関係を研究して生まれた、済陽式食事療法の基本です。

こうした食事をしていると、免疫力が高まり、腸内環境が整い、エネルギーが効率よくつくられて体内のミネラルバランスも安定して代謝が正常に行われ、ガンを予防・改善することができます。

ごはんを1日に1回は玄米や胚芽米などにかえ、たんぱく質は動物性食品（肉や魚）だけでなく植物性食品（大豆など）からバランスよくとり、季節の野菜や果物がたくさんとれる手づくりの食事が理想です。外食、お総菜、ファストフード、加工食品はおすすめできません。

ガンが消える食事とは正常な代謝を促す食事

体内の代謝を障害するものをできるだけとらない

済陽式食事療法では、ガンの主な要因を、正常な代謝が障害されるためと考えています。

人間の体内(細胞)では、食べ物に含まれる栄養素、酸素、水をもとにエネルギーがつくり出されたり、細胞がつくられたりしています。こうした、生命活動を維持するための体内の反応が「代謝」です。生命活動を続けるためには、常に体内で代謝が行われています。

代謝の過程では、エネルギーや細胞だけでなく、からだに有害なものや、必要のないものも発生します。もちろん、それが体内にたまるとからだによくありません。そのため、人間にはこれらを無害化したり、体外に排泄したりするシステムが備わっています。

便や尿、汗、呼気は、代謝によってつくられるものや有害なものを体外に排泄する代表的なシステムです。これ以外にも、体内ではさまざまなシステムが働き、有害なものを無害化しています。免疫力(詳細は22ページ)もそのひとつです。

若い頃や、健康な人はこれらのシステムが問題なく機能しているのですが、加齢によってシステムが衰えると、うまく作用しなくなりますし、食事や生活習慣などの影響で、有害なものが体内に過剰に入ると、そのシステムが追いつかなくなります。そうすると、体内に有害なものがたまり、生活習慣病やガン、老化を引き起こすわけです。

からだを守るシステムを高める食べ物を積極的にとる

過剰な塩分、酸化しやすい肉の脂肪、過剰なアルコール、食品添加物やタバコなど発ガン性のある物質など、ガンを招く食べ物をとり続けている人の体内に、ガン細胞ができてしまうのは仕方のないことではないでしょうか。

逆に、このようなリスクの高い食べ物を控え、体内の代謝をスムーズにしたり、体内の有害物質を体外に排泄したり、免疫力を高めたりする食べ物を、日頃から積極的にとるようにしていれば、体内の代謝異常は改善されます。

正常な代謝を促す食事をとっていれば、ガン細胞はできにくいでしょうし、老化もある程度予防できます。今あるガンが消える、そんな食事を始めましょう。

イギリスのドール博士は「ガンの原因の約30%は喫煙、約35%は食事で、アルコールや食品添加物などを含めると、**ガンの要因の50%近くは口から入るもの**が占めている」としています。

プロローグ ■ 済陽式食事療法がガンに効く理由

済陽式食事療法のポイント

ガンにならない食事をする

ガンを引き起こす食べ物を食べない

有害物質や老廃物の排泄が促される

体内の代謝がスムーズに保たれる

ガンをはじめ病気のリスクが下がる。老化も予防し、元気にすごせる期間が長くなる

今日から始める体質改善

もともと健康食だった日本では食事への配慮が減っている

済陽式食事療法を希望される患者さんの多くは、ほかの医療機関では「治療できない」「手の施しようがない」「余命○カ月です」などと医師から宣告された、ガンがかなり進行した患者さんです。

早期ガンの患者さんや、手術や抗ガン剤治療など、治療が受けられる患者さんは、「食事」までは意識されないのではないでしょうか。なかには、食生活を見直して改善される患者さんもおられますが、まだまだ少数なのかもしれません。

これは、日本ではまだまだ食事とガンの関係が認められていないということでしょう。欧米では食事とガンの関係が科学的に証明され、世界的にも健康には日本食がよいというイメージができあがっているのに、発祥の地である日本では日本古来の伝統食が軽視されています。残念でなりません。

いまでも、「食事でガンが治るわけない」という意見を聞くことがあります。もちろん、済陽式食事療法は、食事だけでガンを治すといっているわけではありません。**西洋医学の治療も併行して続けていただきます。**

食事を改善して体内の代謝を正常に戻し、免疫力を高めたうえで、手術や抗ガン剤治療でガンをやっつける。からだに負担をかける西洋医学の治療を、**免疫力を高める食事**で支えるイメージです。手術できないほど進行していたり、副作用を心配されて、抗ガン剤治療を患者さんがどうしても受けたくないというときには、食事療法で様子を見ます。

ただ、抗ガン剤治療は、できれば受けて欲しいというのが正直な気持ちです。食事療法を行っていれば、抗ガン剤治療の副作用が少なく、効果が高いという結果も出ています。むやみに抗ガン剤治療を避けるのではなく、負担が少なく、それでいてガン細胞にダメージを与える、適切な治療を受けましょう。ガンを抑制できる確率も高くなります。

治療と食事療法を同時進行で今日から始めて体質改善

患者さんのなかには、余命宣告を受けた晩期ガンを食事療法で克服した方が少なからずおられます。済陽式食事療法の有効率は65％近くです。この数値を「低い」と感じるか、「希望がある」と感じるかは患者さんしだいです。

ただ、食事を変えることは、自分さえやる気になればいつでも、どこでもできます。あなたも今日から**ガン体質を変える済陽式食事療法**を始めませんか。

18

第1章 免疫力を高め、ガンを消す食べ物

半年から1年間は続けよう

き起こす食べ物を避け、ガンを防ぐ食べ物を選ぶ目を持つことが大切です。

食べ物の栄養素からつくられる細胞

ガンは手術や抗ガン剤の投与で、切除したり、治療したりすればいいと考えていませんか。実はそれでは、本当の意味では完治していません。

ガンに食事療法が効く理由、それはとても単純です。体内の細胞は食べたものからつくられ、エネルギーもまた必要な栄養素がなければつくられない。人間の生命維持の根本は食事、しかも何を食べるかが関係しているからです。

さらに、食べられるものであればなんでもいいわけではありません。食べ物のなかには、ガンを防ぐどころか、引き起こしてしまうものもあります。

また、元気な人であれば問題ない食べ物であっても、ガンと闘うためには避けたほうがいいものもあります。ガンを引

ガンは体内の代謝異常が原因で発生する

ガンは、体内の代謝に支障をきたして起こる病気です。目に見えるガン細胞を切除しても、その後またガン細胞ができてしまうことがあります。これが再発です。再発は、ガン細胞ができやすい体質が改善されていないために起こります。

ガンの再発を防ぐためには、食事や日常生活の改善が不可欠です。

実際、済陽式食事療法を続けている患者さんが、**根治治療後に再発する確率**は6〜8％、**1割以下**という低い数値です。手術や抗ガン剤治療など適切な治療を受け、食事を改善して、バランスが乱れてしまった体内の状態を戻すことが、ガン治療においてはとても大切です。

できるだけ半年から1年間続ける

とはいえ、一生、好きな肉が食べられない、お酒が飲めないとがっかりされる患者さんもおられます。厳しい制限がありますが、ガン治療中はもちろん、なくなったりしてもガンが小さくなったりしても続けなさいとはいっていません。状態を見ながら半年をすぎた頃から、少しずつゆるめていくといいでしょう。

体質改善の目安は**最低でも3カ月**、できれば**半年から1年間**は続けましょう。細胞がつくりかえられるには約100日間かかるといわれています。実際、食事指導をしていて、3カ月を超えた頃から状態がよくなっているように感じます。

ただし、なんでも食べていいというわけではありません。四足歩行動物や塩分、食品添加物のたっぷり入った加工食品は避けたほうが安心です。

第1章 ■ 免疫力を高め、ガンを消す食べ物

ガンを消す食べ物

済陽式食事療法を始めるときの注意点

済陽式食事療法の目的
- 体内の代謝異常の改善
- 栄養状態の改善
- 免疫力を高める

＊現在受けている治療と併行して行う

食事療法を始める前に確認しよう
- 食事を十分にとれる状態である
- 糖尿病、腎臓病がある場合には必ず主治医に相談して行う（野菜や果物のなかには血糖値を上げるものや、腎臓に負担をかけるカリウムが含まれているため）
- 家族の理解が得られている（食事療法を続けるには家族の協力があったほうがいい）

病期別に見る食事療法

早期ガン	進行ガン	晩期ガン・再発ガン	再発予防
●内視鏡手術をはじめ適切な縮小手術療法を受ける。食事療法によって免疫力を高めることも大切	●医師と十分に話し合い自分に合った治療法を選択する。すぐに食事療法を始め、免疫力を高めて治療効果との相乗効果を目指す	●最先端治療や代替療法も視野に入れる。徹底した食事療法を実施し治療効果を高める。食事療法で改善がみられたときには、再度、有効な治療を検討する	●治療直後からガンを招く食べ物を避け、体内の代謝を乱さず、免疫力を高める食事を心がける

21

からだを守る「免疫力」のしくみ

免疫力とはからだを守るシステム

人間には、体内にウイルスや細菌などの異物が侵入したときに、からだを守ろうとする機能が備わっています。

はしか、水ぼうそう、おたふくかぜなどは一度かかるともうかからない、といわれていますが、これは**免疫**というシステムのおかげです。これらの病気の要因となるウイルスが侵入すると、体内ではウイルスの活動を抑える**抗体**がつくられ、病気のさまざまな症状がしずまります。

免疫は、抗体をつくるだけでなく、ウイルスや細菌などの異物を直接攻撃したりしてからだを守っています。

免疫の主役は**白血球**が担っています。白血球には、抗体をつくり出して異物の活動を抑える**リンパ球**(T細胞、B細胞、**NK**〔ナチュラルキラー〕細胞など)、

侵入した異物をそのまま処理する**顆粒球**やマクロファージがあり、これらを**免疫細胞**と呼びます。

実は、ガンと免疫はとても深い関係があります。体外から侵入してくる異物はすぐに免疫細胞が処理します。ところが、ガン細胞はもともと自分の細胞だったものが、さまざまな要因で遺伝子の構造が突然変異するので、免疫細胞が異物とみなすまでに時間がかかります。そのため、ガンがある程度大きくなるまで症状が起こらず、気がついたときには手遅れのことがままあるのです。

ガンは体内の代謝異常が原因で発生する

免疫はガン治療にも関係しています。免疫細胞のNK細胞は、ガン細胞を直接攻撃して消滅させます。

また、手術や抗ガン剤治療はガン細胞

だけでなく、**正常な細胞**にもダメージを与えます。それを回復させるためにも免疫は働くため、ガン細胞への攻撃はもちろん、自分のからだを守り、修復するという意味でも、その人の免疫がどの程度あるのかという「**免疫力**」がとても大切になるのです。

抗ガン剤治療においては**白血球やリンパ球**の数値を目安にしています。一定の数値以下の場合は、抗ガン剤によるダメージ(副作用)を大きく受ける心配があるためです。

ただ、これまでの経験から、食事療法を行っていると副作用が半減し、治療効果が倍増しているケースが多くみられます。これは食事療法で免疫力が高まったためではないかと考えられています。

ガン治療中は、適切な治療を受けることと、自分のからだに備わっている免疫力をいかにして高めるかが大切です。

第1章 ■ 免疫力を高め、ガンを消す食べ物

ガンを消す食べ物

ガン治療における基本の流れ

- 三大療法を受ける（手術、抗ガン剤治療、放射線治療）
- 代替療法で免疫力を高める（食事療法は代替療法の一種）

ガン治療での白血球数・リンパ球数の目安

抗ガン剤治療の目安

抗ガン剤治療の目安　白血球数が3000〜4000個／mm³以上　リンパ球数が1000個／mm³以上

- 食事療法を行い、免疫力を高めることが大切

食事療法の目安

食事療法の目安　リンパ球数が700〜1300個／mm³以上

- 700個／mm³未満の場合、食事療法の効果が出にくい

① 免疫力を高める食べ物

たくさんある免疫力を高める方法

免疫力をコントロールしているのは自律神経です。免疫力を高めるには、禁煙、禁酒、十分な睡眠、体温を上げる、ストレスをためない、笑うなど、さまざまな方法がありますが、**毎日の食事も免疫力を高める重要な手段のひとつ**ということをご存じでしょうか。

食べ物には、からだに害を与える「活性酸素」を無害化するものがあります。

ガンだけではなく、ほとんどの病気や老化の原因とされるのが**活性酸素**です。活性酸素は非常に不安定な物質で、周囲の細胞を酸化させて傷つけてしまいます。発ガンの原因のひとつは、活性酸素によって遺伝子が傷つけられるためと考えられています。もうひとつの活性酸素の害が「過酸化脂質」です。**過酸化脂質**とは活性酸素によって酸化した脂肪の総称で、このなかには遺伝子を傷つけ、ガンを引き起こすものがあります。

また、動脈硬化の要因となるのも**酸化LDLコレステロール**という過酸化脂質です。酸化LDLコレステロールはマクロファージという免疫細胞が取り込んで退治するのですが、限界まで取り込むとマクロファージが自壊して、血管壁に沈着してしまい、血管壁がかたく、厚くなって、動脈硬化が進行します。

ガンや老化を引き起こす活性酸素

からだに有害な活性酸素は、紫外線を長時間浴びたり、喫煙、激しい運動、過度の飲酒、農薬や食品添加物、酸化した古い油など、外的な要因で増えますが、体内でエネルギーが発生するときにもつくられています。

そのため、からだには活性酸素の害を抑えるシステムが備わっています。しかし、体内で発生する活性酸素の量が多すぎたり、加齢によってこのシステムが衰えたりすると、処理が間に合わなくなり、ガンや老化を引き起こします。

ガンが高齢になるほど多いのは自然なことですが、若年層でのガンが増えているのは、体内に入る有害なものが増えているからかもしれません。

活性酸素を無害化する抗酸化物質

活性酸素を無害化するもっとも手軽な方法は、**抗酸化物質**をとることです。抗酸化物質とは、その名の通り活性酸素を無害化する作用のあるものの総称です。野菜や果物に多く含まれている**ビタミンA・C・E、αカロテン、βカロテン、カロテノイド**が代表的な抗酸化物質です。

ガン予防のエース ビタミンA・C・E

ビタミンA（βカロテン）

どんな作用があるの？
ビタミンAは皮膚や粘膜を強くする。体外からの異物の侵入を抑えて免疫力を高めたり、腸管の消化吸収能力を高めたりする作用がある。不足すると肌あれが生じたり、感染症にかかりやすくなったりする。体内でビタミンAにつくりかえられるβカロテン（詳細は156ページ）やαカロテン（詳細は152ページ）には強い抗酸化作用がある

何に含まれているの？
レバーやうなぎなどに多く含まれるが、これらを大量にとるのはコレステロールやエネルギーとの関係や過剰症（とりすぎたときの弊害）もあって難しい。βカロテンやαカロテンは体内で必要な量だけビタミンAにつくりかえられるので、とりすぎる心配がない。βカロテンやαカロテンは緑黄色野菜に多く含まれている

ビタミンC

どんな作用があるの？
皮膚や粘膜の成分となるコラーゲンの合成を促し、免疫力を高める。解毒作用もある。強い抗酸化作用があるので、活性酸素を無害化する。ストレスが多い人やタバコを吸う人は、ビタミンCをたくさん消耗するので多めにとるよう心がける。水溶性ビタミンなので一度にたくさんとっても、数時間で体外に排出される。食事ごとにとるようにしよう

何に含まれているの？
果物全般に比較的多く含まれている。ほかにもブロッコリー、ほうれん草、小松菜、じゃがいも、苦瓜などにも含まれている。水に溶けやすく、空気中の酸素で酸化してしまうので、新鮮な野菜や果物を生のままでとるとよい。ただし、いも類に含まれるビタミンCは加熱に強いので、調理しても失われにくい

ビタミンE

どんな作用があるの？
非常に抗酸化作用が強いビタミンで、脂肪が過酸化脂質にかわるのを防ぐ。老化の要因となる細胞膜の酸化を防ぐため、若返りのビタミンとしても知られる。ビタミンEのなかのトコトリエノールは、抗ガン作用が強いのではないかと注目されている

何に含まれているの？
済陽式食事療法ではあまりおすすめできないうなぎの蒲焼き、はまち、たらこ、羊肉など動物性食品に多く含まれている。ただ、アーモンド、ヘーゼルナッツ、アボカド、ほうれん草、ひまわり油など、植物性食品にも含まれているものがあるので上手に選んでとろう

100g中のカロテン含有量が600μg（マイクログラム／1000分の1ミリグラム）以上の野菜は「緑黄色野菜」と呼ばれます。カロテン含有量はやや低くても、アスパラガス、ピーマンなどよく利用される野菜も緑黄色野菜に分類されます。緑黄色野菜には抗酸化物質が多く含まれているので、積極的にとりましょう。厚生労働省は野菜を1日350g以上とるようすすめています。

＊第3章の免疫力を高める食べ物にはアイコン 免疫力 が入っています！

② クエン酸代謝を活発にする食べ物

生命維持に不可欠な
エネルギーをつくるシステム

クエン酸回路（詳細は144ページ）とは細胞内にある、エネルギーをつくり出すシステムのことです。何かを考えたり、からだを動かしたり、内臓を働かせたり、体温を維持したり、生命活動のすべてにエネルギーが必要です。

エネルギー源になるのは、主に穀類やいも類に含まれる**炭水化物**です（不足したときには脂質やたんぱく質も利用される）。口から食べ物をとると、腸管で消化・吸収・分解されて、細胞内のクエン酸回路に取り込まれます。クエン酸回路ではブドウ糖と**酸素**からエネルギーが発生します。このとき、水と二酸化炭素などの老廃物ができますが、これらは吐く息、汗、尿といっしょに体外に排泄されます。この

とき活性酸素も発生します。これら一連の流れが**クエン酸代謝**です。

最近、このクエン酸代謝の状態がガンと深く関係していることがわかってきました。フランス、パリ大学のピエール・ルスティン博士によると、クエン酸回路がスムーズに働かなくなってエネルギー（ATP）が不足すると、細胞内のミネラルバランスが崩れて発ガンが促されるそうです。逆に、クエン酸回路が活発に働き、ATPが十分につくられるようになるとガンが治りました。ガンを予防、改善するためには、クエン酸回路を正常に働かせる必要があります。

栄養十分なはずの現代人が
ビタミン不足に陥っている

ビタミンB群は豚肉や動物のレバー、青魚、ナッツ類、野菜などに含まれています。ただ、豚肉やレバーなど脂質やたんぱく質の多いものばかり食べていたのでは、弊害も出てしまいます（詳細は130〜135ページ）。

そこでおすすめなのが、**玄米**や胚芽米、五穀米です。穀類の**ぬか**や**胚芽**には、クエン酸代謝に必要なビタミンB群が含まれています。1日1食を玄米や胚芽米にするだけでガン予防になります。

エネルギー源となるブドウ糖が不足することは、今の日本ではほとんどありませんが、代謝にはほかにもさまざまな酵

素やビタミンが必要です。

ビタミンB_1はブドウ糖の代謝を助けて、クエン酸回路を活発に働かせます。ほかにもビタミンB_{12}、ナイアシン、パントテン酸、ビオチンなどのビタミンB群がブドウ糖の代謝を助けています。ビタミンB群はほかにも、たんぱく質や脂質の代謝にもかかわり、三大栄養素の代謝には欠かせない大切な栄養素です。

玄米を100としたときの精白米のビタミン・ミネラル比較

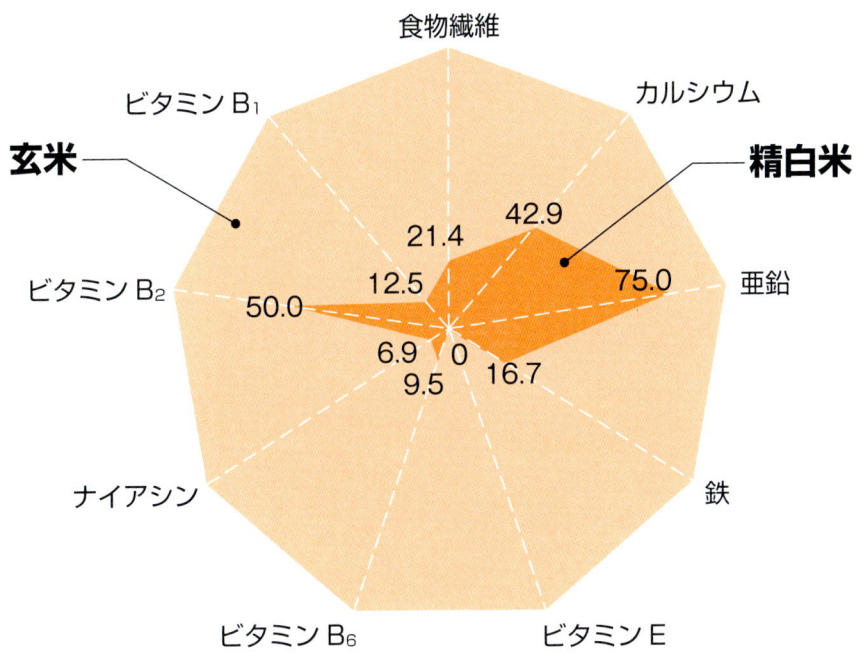

ぬかと胚芽のパワー

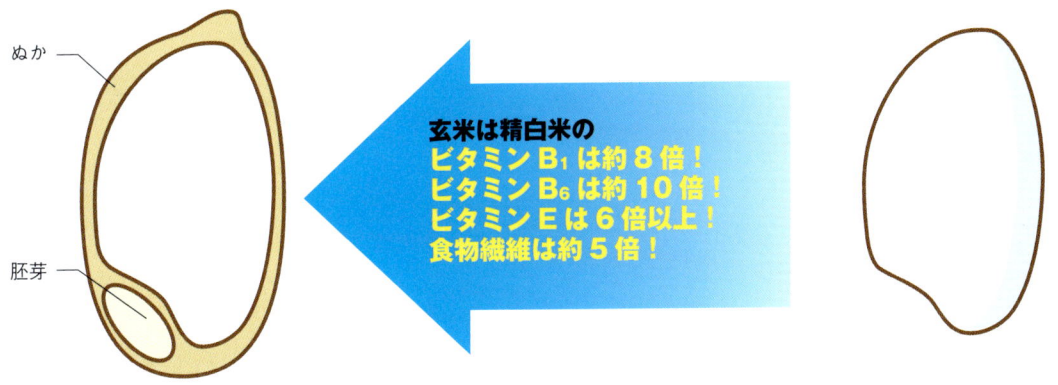

玄米は精白米の
ビタミン B_1 は約8倍！
ビタミン B_6 は約10倍！
ビタミンEは6倍以上！
食物繊維は約5倍！

玄米（ぬかと胚芽を含む）100g中
- ビタミン B_1 ･･････････ 0.16mg
- ビタミン B_6 ･･････････ 0.21mg
- ビタミンE ･･････････ 0.6mg
- 食物繊維 ･･････････ 1.4g

精白米（ぬかと胚芽を取り除く）100g中
- ビタミン B_1 ･･････････ 0.02mg
- ビタミン B_6 ･･････････ 0.02mg
- ビタミンE ･･････････ 微量
- 食物繊維 ･･････････ 0.3g

＊第3章のクエン酸代謝を活発にする食べ物にはアイコン クエン酸回路 が入っています！

③ ミネラルバランスを整える食べ物

細胞内のナトリウム濃度が高くなるとガンを招く？

ナトリウムとは食塩の主成分です。塩水や汗がしょっぱいのは、ナトリウムが入っているからです。

塩分はとりすぎると高血圧を招き、脳梗塞や心筋梗塞のリスクが高くなることから、とりすぎないようすすめられています。

厚生労働省は成人の食塩摂取量の目標を**男性は9g未満、女性は7.5g未満**としていますが、実際の摂取量は男女ともに**1日10g以上**（平成20年国民健康・栄養調査結果）で、依然としてとりすぎの傾向にあります。

塩分をとりすぎると、血液中のナトリウム濃度がどんどん高くなります。血液は一定の濃度に保たれるようになっているので、多すぎるナトリウムは細胞膜を通って細胞内に移動してしまいます。

細胞内のナトリウム濃度はそれほど高くありません。カリウムが多くなっているのが自然な状態です。

ところが、ガン患者さんの細胞内のミネラルバランスを調べたところ、ナトリウムの濃度が高いという報告がありました。細胞内のナトリウム濃度が上昇してしまうと、細胞が傷つきやすくなり、最終的には**細胞がガン化**してしまうのではないかと考えられています。

そのため、済陽式食事療法では、塩分をできるかぎり抑えることにしています。それはナトリウムが過剰になり、**乱れてしまった体内のミネラルバランス**をもとに戻すためです。

ナトリウムの排泄を促すカリウム

細胞内の過剰なナトリウムを、細胞外に押し出す役割を担っているのがカリウムです。細胞膜にはナトリウムを細胞外に出し、細胞内にカリウムを取り入れるために働く酵素があります。ガン細胞内ではこの酵素の働きが約2割低下しているのですが、カリウムをとるとこの酵素の働きが活性化するそうです。

また、ナトリウムとカリウムの移動は、クエン酸回路でつくられるエネルギー（ATP）がないと、スムーズにできません。ビタミンB群が不足してクエン酸回路がスムーズに働かなくなると、細胞内のナトリウムとカリウムの移動がうまくできなくなり、**発ガンのリスクがより高まる**という悪循環に陥ります。

カリウムは**野菜や果物**全般に多く含まれています。野菜や果物は抗酸化物質を多く含んでいますし、大量の野菜や果物のジュースは「クエン酸回路」「体内のミネラルバランス」という二重のガン予防、改善になるといえます。

第1章 ■ 免疫力を高め、ガンを消す食べ物

カリウムを多く含む食べ物

ガンを消す食べ物

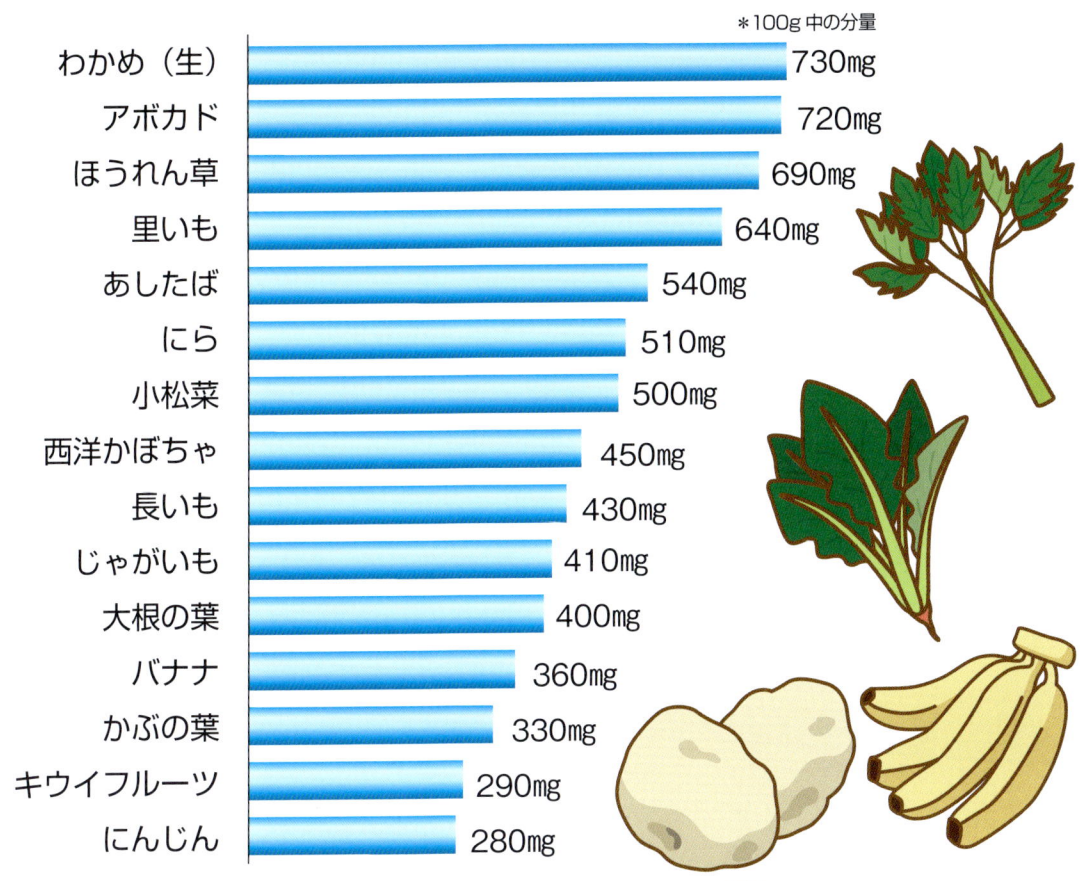

*100g 中の分量

食品	分量
わかめ（生）	730mg
アボカド	720mg
ほうれん草	690mg
里いも	640mg
あしたば	540mg
にら	510mg
小松菜	500mg
西洋かぼちゃ	450mg
長いも	430mg
じゃがいも	410mg
大根の葉	400mg
バナナ	360mg
かぶの葉	330mg
キウイフルーツ	290mg
にんじん	280mg

＊第3章のミネラルバランスを整える食べ物にはアイコン ミネラルバランス が入っています！

コラム

塩分のとりすぎ 胃ガンを招く

濃い味つけが好きな人や、塩分を多く含むものを食べる人は、胃液や血液中のナトリウム濃度が高くなります。

最近の研究で、そうした人は胃ガンを発症するリスクが高いことがわかりました。韓国では冷蔵庫が普及してから、胃ガンの発生率が如実に低下したそうです。これは、冷蔵可能になり、保存のための塩分添加量が減ったからと考えられています。

日本でも胃ガンの発生率は下がっています。国は塩分を抑えるようすすめていますから、その影響があったのかもしれません。

胃ガンと塩分には、ヘリコバクターピロリ（ピロリ菌）も関係しています。塩分が高い状態で傷ついた胃粘膜は、ピロリ菌が繁殖しやすく、ピロリ菌が持つ発ガン遺伝子が胃粘膜に組み込まれやすいことが実証されています。

④ 腸内環境を整える食べ物

代謝、免疫力、解毒を担う腸をキレイな状態に保とう

これは、腸が食べ物から栄養を吸収するという、生命維持に重要な臓器であると同時に、外から取り込んだ食べ物が直接入る臓器だからでしょう。鼻腔や気管支、肺は空気を取り込みます。細菌やウイルスが体内に入り込まないようブロックしている関所が、扁桃腺などのリンパ組織です。食べ物が入る消化管は、ウイルスや細菌、有害物質が侵入しやすい場所です。

外界からのリスクからからだを守るために、腸管にリンパ球が集中していると考えると納得できます。

小腸、大腸は食べ物を消化・吸収して肝臓に送り、体内で利用できるようにつくりかえ、必要な栄養素を消化・吸収した残りカスや体内の老廃物を便として体外に排泄する大切な役割があります。

腸内の環境がよければ、老廃物や有害物質は便といっしょに体外に排泄されます。便秘がちな人だと、腸内に有害物質や老廃物がたまってしまい、場合によっては、発ガン物質が生成されてしまうこともあります。便秘が健康によくないのは、排出すべきいろいろな毒素をためこんでしまうからです。

また、最近の研究では、免疫細胞である**リンパ球の約60%**が腸管に存在していることがわかりました。腸は**免疫力**に大きな影響を与えているようです。

すみついています。善玉菌と悪玉菌のバランスは人によって異なり、善玉菌が多ければ多いほど腸本来の運動や働きが戻り、栄養素が効率よく吸収され、老廃物や有害物質の排泄が促されて健康を維持することができます。逆に、悪玉菌が多すぎると、ガンをはじめ病気や老化を引き起こしてしまいます。

腸内環境をよくする善玉菌を増やす

メチニコフー光岡理論『バイオジェニックス健康法』

善玉菌の代表は**乳酸菌やビフィズス菌**です。ヨーグルトやみそ、しょうゆ、キムチなどの**発酵食品**には乳酸菌が含まれています。済陽式食事療法では、毎日ヨーグルトを食べることで腸内環境の改善を目指します。東京大学名誉教授である光岡知足先生は、乳酸菌が小腸のパイエル板を刺激してリンパ球を増やすことを実証されました。最近、免疫賦活のために

腸内環境を改善するために不可欠なのが**善玉菌**です。腸内には、消化吸収力や免疫力を高め、腸内環境を改善する善玉菌と、発ガン物質をつくり出す**悪玉菌**が

30

第1章 免疫力を高め、ガンを消す食べ物

ガンを消す食べ物

乳酸菌成分をとる『バイオジェニックス健康法』が確立されています。

腸の蠕動運動を助ける食物繊維をとる

食物繊維は糖質の一種で、栄養素としては炭水化物に分類されます。栄養素が含まれていないため、かつては食べ物の残りカスとして軽視されていました。

ところが、腸で老廃物を吸着して排泄を促したり、腸の蠕動運動を助けて活発にしたり、腸内の善玉菌を増やしたりと、健康維持にはなくてはならない栄養素ということがわかり、今ではとても重要視されています。

食物繊維には水に溶けやすい**水溶性食物繊維**と、水に溶けない**不溶性食物繊維**があります。水溶性食物繊維はブドウ糖の吸収をゆるやかにする、コレステロールの吸収を抑制する、余分なコレステロールの排泄を促すといった働きがあります。不溶性食物繊維のほとんどは植物の細胞壁なので、水分を吸収するとカサを増して腸の蠕動運動を活発にして便秘改善に働きます。

腸内環境を整えるためには食物繊維が必要です。ただ、大量の野菜をそのまま食べると、不溶性食物繊維をとりすぎてかえって腸に負担をかけてしまいます。ジュースだと不溶性食物繊維は除かれます。ジュースとふつうの料理でバランスよくとるようすすめているのは、大量にとり、かつ腸に負担をかけないためです。

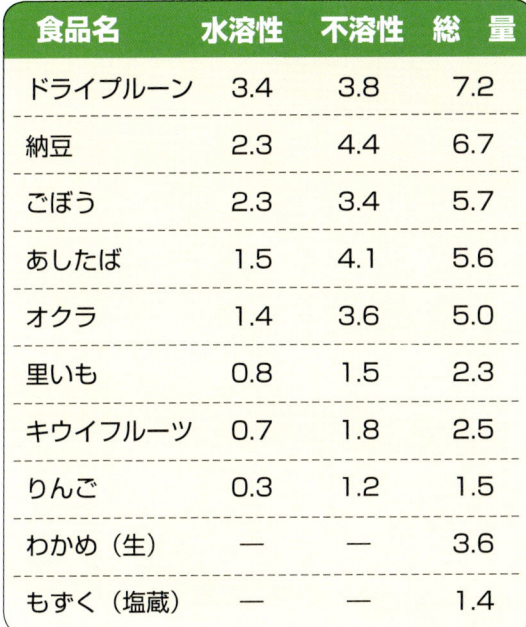

水溶性食物繊維を多く含む食べ物
*100g 中の分量（g）

食品名	水溶性	不溶性	総量
ドライプルーン	3.4	3.8	7.2
納豆	2.3	4.4	6.7
ごぼう	2.3	3.4	5.7
あしたば	1.5	4.1	5.6
オクラ	1.4	3.6	5.0
里いも	0.8	1.5	2.3
キウイフルーツ	0.7	1.8	2.5
りんご	0.3	1.2	1.5
わかめ（生）	―	―	3.6
もずく（塩蔵）	―	―	1.4

不溶性食物繊維を多く含む食べ物
*100g 中の分量（g）

食品名	水溶性	不溶性	総量
きくらげ（ゆで）	0	5.2	5.2
モロヘイヤ	1.3	4.6	5.9
えりんぎ	0.3	4.0	4.3
ライ麦パン	2.0	3.6	5.6
しいたけ	0.5	3.0	3.5
まいたけ	0.3	2.4	2.7
西洋かぼちゃ	0.9	2.6	3.5
れんこん	0.2	1.8	2.0
玄米	0.2	1.2	1.4
バナナ	0.1	1.0	1.1

＊第3章の腸内環境を整える食べ物にはアイコン 腸内環境 が入っています！

目でわかる！ガン予防に効く食べ物のとり方

ジュースにおすすめの食べ物

においや味にクセのないもの。そのまま食べておいしいもの

キャベツ、ブロッコリー、にんじん、大根・かぶの葉、かぶ、小松菜、ほうれん草、菜の花、サニーレタス、アスパラガス、ピーマン、トマト、レモン、みかん、りんご、ベリー類、プルーン、はちみつ など

　ビタミンやカロテノイド、ファイトケミカル（詳細は156ページ）は、水に溶けやすかったり熱に弱かったりするので、効率よく栄養素をとるにはジュースにするのがおすすめです。ただ、ファイトケミカルのなかにはにおいや苦みのもとになる成分もあり、**生でそのまま食べるのは難しいもの**もあります。

　クセのないものや、そのまま食べてもおいしいものはジュースにし、加熱調理したほうが食べやすいものは、無理にジュースにすることなく、温野菜サラダやお浸し、炒め物、煮物など、工夫しておいしく食べましょう。

　栄養素を効率よくとろうとするあまり、食事をおいしく、楽しく感じられなくなってしまっては本末転倒です。無理のない、自分に合った内容で食事療法をすすめていきましょう。

32

第1章 ■ 免疫力を高め、ガンを消す食べ物

ガンを消す食べ物

調理して食べたほうがよい食べ物

大根、春菊、モロヘイヤ、あしたば、きゅうり、なす、かぼちゃ、玉ねぎ、ねぎ、にら、にんにく、じゃがいも、さつまいも、山いも、大豆、玄米、そば、海藻類、きのこ類、ハーブ、しょうが、ごま、わさび、ウコン、鶏肉、卵、青魚、鮭、貝類、甲殻類 など

飲んだり・なめたりする食べ物

緑茶、紅茶、コーヒー、ココア、はちみつ、梅酒 など

※一例です。好みも関係してくるのでこだわらずにいろいろ試してみましょう

そのまま食べてもよい食べ物

りんご、みかん、バナナ、ベリー類、プルーン、パパイア、ハーブ、ヨーグルト など

ガンが消える食べ物の組み合わせ

一種類だけとるよりも組み合わせたほうがいい

健康食品やダイエットの情報で「○○がいい」と聞くと、ひたすらそれだけとってしまう人も多いようです。マスコミで取り上げられた商品が、飛ぶように売れて、あっという間にスーパーマーケットなどの売り場から消えてしまったという話をよく耳にします。

確かに、食べ物に含まれている栄養素や成分はそれぞれ違いますから、何に効くのかも異なります。とはいえ、どれかひとつの食べ物をとったからといって、効果が高まるわけではありません。

食べ物に含まれている炭水化物、たんぱく質、ビタミン、ミネラル、食物繊維の量は、文部科学省の「食品成分表」を目安にすると、ある程度わかります。ただ、それ以外にもカロテノイド、ポリフェノールのように、からだにいい成分がたくさん含まれています。また、どの成分がいいのかわからないけれど、実験では抗ガン作用があることが確認されているいる食べ物もあります。

いろいろな種類の食べ物を組み合わせてとるほうが、からだによいさまざまな成分をたくさんとることができます。

実際、アメリカの調査で、サプリメントでビタミンAをたくさんとると、逆にガンのリスクが高くなったという報告があります。ビタミンAは抗酸化作用が非常に強く、ガン予防のエースと呼ばれますが、サプリメントでとってもその効果は期待できないようです。

4つのグループからバランスよくとろう

ガンに効く食べ物を選ぶときは、第1章で紹介した「①免疫力を高める」「②クエン酸回路を活性化させる」「③ミネラルバランスを整える」「④腸内環境を整える」というガンに効く4つの要素です。

これらは、それぞれ関係し合っているので、ひとつの種類だけをとるよりも、それぞれのグループをバランスよくとったほうがいいに決まっています。

食材ごとにアイコンや囲みをつけ、すすめの組み合わせを紹介しているので、選ぶときの参考にしてください。偏ることなくいろいろな種類の野菜や果物、海藻類やきのこ類、季節の旬なものをとりましょう。

本書の第3章では、「ガンが消える食べ物」を紹介しています。どのガンに効

第2章 ガンが消える食事 1週間の献立

済陽式食事療法は厳しくない!?

なんでも食べられないが食べられるものはたくさんある

済陽式食事療法の内容をはじめて聞く人のなかには、「そんな厳しい制限があってはとてもできない」「肉が食べられないなんて無理」など、できない理由ばかり考えてしまう人もいるかと思います。

でも、よく考えてみてください。済陽式食事療法で厳禁とされているのは、四足歩行動物と塩分とアルコールだけ。あとは加工食品を制限されるくらいです。加工食品を除けば、たくさんある食品のなかで、制限されるものはほんのわずかといっていいのではないでしょうか。

済陽式食事療法ですすめるようすすめられている野菜、果物、きのこ類、海藻類、魚介類、鶏肉、卵、はちみつなどたくさんの食品は、制限されているものに比べ、はるかに種類が豊富です。

なのに、「厳しい制限」と感じてしまうのは、ガンになりやすい人が、日頃から、制限されている食品をたくさんとり、逆にすすめられているものをたくさんとっていない食生活を送っていたからでしょう。

むしろ、これらの食品ばかりとっていたからガンを招いたのかもしれません。

確かに、外食が多い人にとっては、済陽式食事療法は実現不可能なものに感じられるかもしれません。しかし、外食や総菜、ファストフードは肉が多くて野菜は少なく、塩分たっぷり。こんな食生活を続けていると、ガンを招くのはもちろん、ほかの生活習慣病をも招いているようなものです。

日本古来の伝統食を思い出し自然の食べ物をいただく

これは、済陽式食事療法が**日本古来の伝統食(縄文食)**をベースにしているからでしょう。そもそも、日本人は一部の地域を除いて、豚肉や牛肉を食べる習慣はあまりありませんでした。一般の人が牛肉を食べるようになったのは明治時代以降です。

それまでの日本人の食事は、玄米など精製されていない穀類を主食とし、それに魚介類や海藻類、野菜をプラスしていました。周囲を海に囲まれた日本で、手に入れやすいものを食べていたのです。

済陽式食事療法は、実はそれほど難しい内容ではありません。濃い味つけに慣れた人は、塩分制限をつらく感じるかもしれませんが、慣れると素材そのものの味わいがわかるようになり、しばらくすると濃い味つけのものが苦手になるそうです。また、肉好きだった人も、食事療法を続けるうちにそれほど食べたいと思わなくなるそうです。

塩分だって、みそやしょうゆ、塩など

36

第2章 ■ ガンが消える食事 1週間の献立

1週間の献立

済陽式食事療法を続けるポイント

考え方しだいでつらさはかわる

食べられないものにとらわれない

食べてもいいものはたくさんある

塩分制限はできるだけがんばる

調味料は自家製で

含まれる塩分が少ない調味料を使う

できるだけすぐに始める

1日1.5〜2ℓ
1回500ml

大量の野菜・果物ジュースは必須！

免疫力を高める食事を心がける

に加工して手軽に手に入るようになったのは、近代に入ってからです。それまでは薄味で、素材そのものの味わいを楽しんでいたのではないでしょうか。済陽式食事療法は、ガンを治すための特別な食事、というよりも、日本古来の伝統食に戻っただけともいえます。

もちろん、野菜や果物のなかには、特にガンの予防効果が高いものもあります。本章ではそれらを使った献立を紹介しているので、食材を選ぶときの参考にしていただけるとうれしいです。

しぼりたてのジュースがいちばん！

1日1.5〜2ℓのジュースで免疫力を高めよう

ガンという難しい病気と闘うために、食事のときにペットボトル1本分のしぼりたてをすぐに飲めば、栄養素の損失が少なく、ガンに効く**栄養素を効率よくとる**ことができます。何より、新鮮な素材を使ったしぼりたてのジュースは、市販されているジュースよりおいしく感じられるでしょう。

市販されているジュース類は手軽でいいのですが、仕事があったり、食事時に外出していたりして、どうしてもしぼりたてのジュースが飲めない場合もあります。

そのような場合には、**粉末の青汁**を携帯して、ペットボトルの水に溶かして飲みましょう。市販されている青汁には、フリーズドライ製法など、栄養素の損失が少なくなるよう配慮されているものがあります。

済陽式食事療法では、大量の野菜、果物をとるために、**1日に1.5〜2ℓ**のジュースを飲むようすすめています。1.5〜2ℓとまとめて考えると、とても飲めないと感じるかもしれません。

では、食事のたびに500㎖ずつであればどうでしょう。500㎖は市販されているペットボトルと同じ分量です。のどがかわいているときに、ペットボトル1本くらい一気に飲み干してしまうことはありませんか。

もちろん、食事のたびにペットボトルを1本飲むのは、それと同じではありませんが、「食事ごとにペットボトル1本分のジュースを飲む」と考えれば、少なくとも「絶対無理」とまでは感じないのではないでしょうか。

食事のときにペットボトル1本分のジュースを飲む。ジュースを薬と考えれば、抵抗なく実行できるのではないでしょうか。

また、抗ガン剤のように副作用が強い薬を服用することを考えれば、食事ごとにジュースを飲むのは、それほど難しいことではありません。

1日に大量のジュースを飲むのは、済陽式食事療法の基本中の基本です。

新鮮な素材をしぼったジュースはとてもおいしい

もうひとつ大切なのは、ジュースは**しぼりたてを飲む**、ということです。

野菜や果物に含まれている、抗ガン作用のあるビタミンやカロテノイド、ポリフェノール、酵素などは、熱に弱かったり、酸化しやすかったりして失われやすいという特性があります。

ただ、市販されているジュースは、長期保存するために添加物が入っていたり、加熱殺菌されていたりして、あまりおすすめできません。

第2章 ■ ガンが消える食事 1週間の献立

1週間の献立

ジュースがガンに効く理由

ジュースだとたくさんの野菜・果物がとれる。毎食500mlを目安に飲むとよい

市販されているジュースは、しぼりたてのジュースより栄養素が失われている

よくふる！

ミネラルウォーターのペットボトルに入れる

ジュースがつくれないときには青汁を活用する

外出先はこれでOK!

外出先でも手軽に飲める

ジューサーを使おう！

ジュースをつくるときには、栄養素の損失が少ないジューサーがおすすめ。高速回転のものよりも、低速回転のジューサーのほうが栄養素の損失が少ない

ジュースをしぼるときには栄養素を壊さないジューサーで

ジュースをしぼるときには、ミキサーではなくジューサーを使ってください。

ミキサーを使うと、撹拌（かくはん）するときに栄養素が壊れやすいといわれています。また、ミキサーでつくったジュースには、果物や野菜の食物繊維がすべて含まれています。食物繊維は腸内環境を整える大切な栄養素ですが、とりすぎるとかえって腸に負担をかけてしまいます。特に、ガン治療などで体力が落ちたり、胃や腸の手術をした人には不向きです。ジューサーを使うようにしてください。

済陽式食事療法の基本となるジュース

基本となるジュースの作り方

ジュースの材料はコレと決まっているわけではありません。とはいえ、毎日たくさん飲むものですからおいしいほうがいいに決まっています。旬の野菜を活用して、自分好みのものをつくることが続ける秘訣です。ここでは、野菜や果物が効率よくとれる「グリーンジュース」「にんじんジュース」「ヨーグルトジュース」の、**基本的な作り方とバリエーション**をご紹介します。

グリーンジュース

毎日飲んで欲しい ガン予防に必須

基本のジュース
【材料】（400〜500㎖）
キャベツ ……………………… 4枚
りんご ………………………… 1と1/2個
レモン ………………………… 1個

作り方
①りんごは種と芯を取り除く。レモンは皮をむいて、くし形に切る。キャベツは1枚ごとに丸めておく。
②①をジューサーにかける。

キャベツのパワー
抗ガン作用が強いイソチオシアネートやペルオキシダーゼを含む。ビタミンCが多く活性酸素を無害化する作用もある。
詳細は72ページ ▶

バリエーションを楽しむ
キャベツをコレにかえて

ブロッコリー 1株 `73ページ`、春菊 2/3束 `77ページ`、小松菜 1/2束 `76ページ`、チンゲンサイ 2株、水菜 2/3束、ほうれん草 2/3束 `78ページ`

第2章　ガンが消える食事 1週間の献立

ヨーグルトジュース
腸内環境を整えて免疫力を高める

基本のジュース
【材料】（400〜500ml）
ヨーグルトドリンク・・・・・・・・1カップ
ブルーベリー・・・・・・・・・・・・・・・・250g
レモン・・・・・・・・・・・1/2個（好みで）

作り方
①ブルーベリーはよく洗う。レモンは皮をむいて、くし形に切る。
②①をジューサーにかけ、ヨーグルトドリンクを加えて混ぜる。

ブルーベリーのパワー
免疫力を高めるアントシアニンが豊富に含まれている。ガン予防効果がとても高い果物なので旬の時期には積極的にとろう。
詳細は104ページ

バリエーションを楽しむ
ブルーベリーをコレにかえて

赤ピーマン1個 85ページ とオレンジ2個 102ページ 、キウイフルーツ2個とメロン150g、トマト2個 86ページ とセロリ1/2本、ぶどう2/3房 104ページ 、黄ピーマン1個 85ページ とパイナップル200g、グレープフルーツ2個

にんじんジュース
ゲルソン療法でよく知られるガン予防の元祖

基本のジュース
【材料】（400〜500ml）
にんじん・・・・・・・・・・・・・・・・・・・2本
オレンジ・・・・・・・・・・・・・・・・・・・2個
レモン・・・・・・・・・・・・1個（好みで）

作り方
①にんじんは皮をむいて、適当な大きさに切る。レモンとオレンジは皮をむいて、くし形に切る。
②①をジューサーにかける。

にんじんのパワー
免疫力を高めてガンを防ぐβカロテンを豊富に含む。ミネラルバランスを整えるカリウムも多い。抗ガン作用の強いαカロテンも含まれる。
詳細は84ページ

バリエーションを楽しむ
オレンジをコレにかえて

グレープフルーツ1と1/2個、パイナップル250g、りんご1と1/2個 100ページ 、トマト2個 86ページ 、いちご2/3パック 104ページ 、みかん3個 102ページ

月曜日 朝食

- 全粒粉食パン
- トマトの半熟卵ココット
- プルーンヨーグルト
- グリーンジュース

エネルギー 153 kcal / 塩分 0.7 g

全粒粉食パン

【材料】（1人分）
全粒粉食パン ・・・・・・・・1枚（60g）

エネルギー 95 kcal / 塩分 0.3 g

トマトの半熟卵ココット

【材料】（2人分）
卵・・・・・・・・・・・・・・2個
トマト・・・・・・・・・・・・1個
減塩しお・・・小さじ1/8
こしょう・・・・・・・・少々

作り方
① トマトはへたをとって、輪切りにする。
② 2つの耐熱皿にトマトを半量ずつ入れ、それぞれに減塩しおとこしょうをふり、卵を1個ずつ割り入れる。ラップをかけず、1個ずつ電子レンジ（600W）で2分ほど加熱する。

エネルギー 118 kcal / 塩分 0.1 g

プルーンヨーグルト

【材料】（1人分）
プレーンヨーグルト 100g
ドライプルーン ・・・3個

作り方
① ヨーグルトを器に盛り、プルーンをのせる。
＊プルーンエキス（大さじ1杯）を使ってもよい

グリーンジュース…400〜500㎖
（ブロッコリー）

作り方 詳細は40ページ

献立のポイント
卵（詳細は123ページ）はほとんどの栄養素が含まれる、バランスのよい食品です。質のよいものを1日1個とるようにしましょう。

第2章 ■ ガンが消える食事 1週間の献立

月曜日 昼食

- 玄米ごはん
- 豆腐ステーキ
- 根菜汁
- ヨーグルトジュース

エネルギー 248kcal　塩分 0g

玄米ごはん

【材料】(1人分)
玄米ごはん1膳分(150g)

エネルギー 217kcal　塩分 0.5g

豆腐ステーキ

【材料】(2人分)
- 木綿豆腐 ・・・・・・・・・ 1丁
- 水菜 ・・・・・・・・・・・・・ 30g
- 片栗粉 ・・・・・・・ 大さじ2
- ごま油 ・・・・・・・ 大さじ1
- A ┌ 減塩しょうゆ ・・ 小さじ2
- 　└ 酢 ・・・・・・・・・ 小さじ2
- かつお節 ・・・・・・・・・・・・・ 2g
- 七味唐辛子 ・・・・・・・ 少々

【作り方】
❶豆腐は1.5cm厚さのひと口大に切り、キッチンペーパーで包んで15分ほど置く。水菜は4cm長さに切る。
❷豆腐の水気をふき、片栗粉をまぶす。フライパンにごま油を熱し、両面を焼く。
❸❷を器に盛り、混ぜ合わせたAをかける。かつお節をのせ、七味唐辛子をふり、水菜を添える。

エネルギー 40kcal　塩分 0.5g

根菜汁

【材料】(2人分)
- 大根 ・・・・・・・・・・・・ 2cm
- にんじん ・・・・・・・・ 20g
- 油揚げ ・・・・・・・・ 1/2枚
- しょうが ・・・・・ 1/2かけ
- だし汁 ・・・・・・・ 1と1/2カップ
- 減塩しょうゆ ・・ 大さじ1/2
- 小ねぎ ・・・・・・・・・・・ 1本

【作り方】
❶大根とにんじんは皮をむいて、いちょう切りにする。油揚げは熱湯をかけて油抜きし、短冊切りにする。
❷しょうがは千切りにする。
❸鍋に❷とだし汁を入れて火にかけ、煮立ったら❶を加える。野菜に火がとおったら、減塩しょうゆを加えて混ぜる。
❹器に盛り、小口切りにした小ねぎを散らす。

ヨーグルトジュース…400～500mℓ
(赤ピーマンとオレンジ)

作り方 詳細は41ページ

月曜日 夕食

- 五穀米ごはん
- あさりと野菜の香り蒸し
- キャベツのしょうが漬け
- ヨーグルト
- にんじんジュース

第2章 ■ ガンが消える食事 1週間の献立

1週間の献立

五穀米ごはん
エネルギー 252kcal / 塩分 0g

【材料】（1人分）
五穀米ごはん ……… 1膳分（150g）

あさりと野菜の香り蒸し
エネルギー 78kcal / 塩分 0.6g

【材料】（2人分）
- あさり（殻つき）……80g
- 白菜 ……………… 2枚
- 三つ葉 ………… 1/2束
- にんにく ………… 1かけ
- オリーブ油 … 小さじ2
- 酒 ………… 大さじ1
- A ┌ 減塩しょうゆ …… 小さじ1/2
　 └ 減塩しお ………… 小さじ1/8

作り方
❶ あさりはざっと洗い、ボウルに入れる。3%程度の塩水をあさりがつかるくらいまで入れ、30分ほど暗い場所に置いて砂抜きする。その後、流水で洗う。
❷ 白菜は短冊切りにする。三つ葉は3cm長さに切る。にんにくは薄切りにする。
❸ フライパンににんにくとオリーブ油を入れて弱火にかける。香りがたったら中火にしてあさりと酒を入れ、ふたをして蒸し焼きにする。
❹ あさりの口が開いたら、白菜を加えてふたをし、5分ほど蒸し煮にする。Aで調味し、器に盛り、三つ葉をのせる。

キャベツのしょうが漬け
エネルギー 7kcal / 塩分 0.3g

【材料】（2人分）
- キャベツ ……… 1枚
- しょうが …… 1/2かけ
- 減塩しお … 小さじ1/4

作り方
❶ キャベツは短冊切りにし、しょうがは千切りにする。
❷ ボウルに❶を入れ、減塩しおをふって手でもむ。しばらく置いて、しんなりとしたら水気をしぼる。

ヨーグルト
エネルギー 62kcal / 塩分 0.1g

【材料】（1人分）
プレーンヨーグルト 100g

にんじんジュース…400～500mℓ
（グレープフルーツ）
作り方 詳細は41ページ

＊基本のジュースのレモンを1/4個にして好みではちみつを加えるとよい。

献立のポイント
フライパンを使った蒸し料理は、手軽にできるのでおすすめです。あさりに塩気があるので調味料を少なくしても、十分おいしくいただける味つけになります。キャベツのしょうが漬けは作り置きしておくと、あともう一品欲しいときに便利です。冷蔵庫で2～3日保存できます。

あさり
貝類は、低脂質で適度なたんぱく質を含み、ガンを予防するといわれるタウリンが多く含まれています。1年を通じて流通していて、値段も手頃なので、済陽式食事療法でもおすすめしています。

詳細は126ページ

火曜日 朝食

- 五穀米ごはん
- しそおろし納豆
- ヨーグルト
- にんじんジュース

エネルギー 252 kcal　塩分 0 g

五穀米ごはん

【材料】（1人分）
五穀米ごはん ……… 1膳分（150g）

エネルギー 115 kcal　塩分 0.5 g

しそおろし納豆

【材料】（2人分）
大根 ………… 3cm
青じそ ……… 5枚
納豆 ………… 100g
A ┌ 減塩しょうゆ …… 小さじ2
　└ 酢 …………………… 小さじ1

作り方
① 大根は皮をむいてすりおろし、ザルにあけて水切りする。青じそは千切りにする。
② ボウルに大根おろし、納豆、Aを入れて和える。
③ 器に盛り、青じそをのせる。

エネルギー 62 kcal　塩分 0.1 g

ヨーグルト

【材料】（1人分）
プレーンヨーグルト 100g

にんじんジュース…400～500mℓ
（パイナップル）

作り方 詳細は41ページ

＊基本のジュースのレモンを1/2個にするとよい。

献立のポイント
食欲がないときには、ごはんと納豆だけでも十分です。野菜・果物ジュースを飲んでいるので、野菜は十分にとれています。不足するたんぱく質を含むおかず（ここではしそおろし納豆）を追加しましょう。

第2章 ■ ガンが消える食事 1週間の献立

火曜日 昼食

- 冷やしとろろそば
- オレンジヨーグルト
- グリーンジュース

冷やしとろろそば

エネルギー 437kcal　塩分 0.8g

【材料】(2人分)
- そば(生) ……… 2玉(260g)
- 長いも ……… 10cm
- 小松菜 ……… 1/3束
- みょうが ……… 1個
- A ┌ だし汁 …… 1カップ
　　└ 減塩しょうゆ ……… 大さじ1
- 青のり ……… 少々

【作り方】
1. 長いもは皮をむいてすりおろす。小松菜はゆでて、水気をしぼり、4cm長さに切る。みょうがは千切りにする。
2. 沸騰した湯にそばを入れてゆで、ザルにあけて水気をきる。
3. Aを混ぜ合わせる。
4. 器に❷を盛り、❸を注ぎ入れ、❶をのせる。好みで青のりをふる。

オレンジヨーグルト

エネルギー 90kcal　塩分 0.1g

【材料】(1人分)
- プレーンヨーグルト 100g
- オレンジ ……… 1/2個

【作り方】
1. 器にヨーグルトを入れ、皮をむいたオレンジをのせる。

グリーンジュース… 400〜500mℓ
(春菊)

作り方 詳細は40ページ

献立のポイント

そば(詳細は99ページ)もガンを抑制する効果のある食品です。注目の成分は、水に溶けやすいルチンという成分です。ルチンはそばをゆでた湯に溶け出しているので、そば湯を飲むと効率よくとれます。

火曜日 夕食

- 玄米ごはん
- じゃがいもの焼きオムレツ
- 野菜のレモンマリネ
- コーンスープ
- ヨーグルトジュース

第2章 ガンが消える食事 1週間の献立

1週間の献立

エネルギー 248 kcal / 塩分 0 g

玄米ごはん

【材料】（1人分）
玄米ごはん ‥‥‥‥1膳分（150g）

エネルギー 145 kcal / 塩分 0.6 g

じゃがいもの焼きオムレツ

【材料】（2人分）
じゃがいも ‥‥‥‥1個
ピーマン ‥‥‥‥1/2個
卵 ‥‥‥‥2個

A ┌ 牛乳 ‥‥‥‥大さじ1
　├ 減塩しお ‥‥‥‥小さじ1/8
　└ こしょう ‥‥‥‥少々
ケチャップ ‥‥‥‥大さじ1

作り方
❶ じゃがいもは皮をむいて、1cm角に切る。耐熱ボウルに入れてラップをかけ、電子レンジ（600W）で4分ほど加熱する。ピーマンはみじん切りにする。
❷ ボウルに卵を割り入れ、Aを加えて混ぜる。2つの耐熱皿に❶を半量ずつ入れ、卵液をそれぞれ流し入れる。
❸ ❷にアルミホイルをかぶせ、オーブントースターで10分ほど焼き、アルミホイルをとって焼き色がつくまで焼く。好みでケチャップをかける。

卵
たんぱく質、ビタミン、ミネラルをまんべんなく含みます（詳細は123ページ）。環境のよいところで平飼いされ、質のよいエサで育った鶏の卵を、1日1個とりましょう。

エネルギー 47 kcal / 塩分 0.2 g

野菜のレモンマリネ

【材料】（2人分）
玉ねぎ ‥‥‥‥1/8個
セロリ ‥‥‥‥1/4本
ミニトマト ‥‥‥‥10個

A ┌ レモン汁 ‥‥‥‥小さじ2
　├ オリーブ油 ‥‥‥‥小さじ1
　├ 減塩しお ‥‥‥‥小さじ1/8
　└ 粗びきこしょう ‥‥‥‥少々

作り方
❶ 玉ねぎは薄切りにして、水に10分ほどさらして水気をきる。セロリは斜め薄切りにする。ミニトマトはへたをとって、半分に切る。
❷ ボウルにAを入れて混ぜ、❶を加えて和える。

エネルギー 83 kcal / 塩分 0.6 g

コーンスープ

【材料】（2人分）
しいたけ ‥‥‥‥2枚

A ┌ ホールコーン（冷凍） ‥‥‥‥50g
　└ 水 ‥‥‥‥1/2カップ

B ┌ クリームコーン（缶詰） ‥‥‥‥50g
　├ 牛乳 ‥‥‥‥1/2カップ
　├ コンソメ（顆粒） ‥‥‥‥小さじ1/2
　└ 減塩しお ‥‥‥‥小さじ1/8
こしょう ‥‥‥‥少々
パセリ ‥‥‥‥少々

作り方
❶ しいたけはみじん切りにする。
❷ 鍋に❶とAを入れて火にかけ、5分ほど煮たら火を止め、Bを加えて混ぜ合わせる。
❸ 再び火にかけ、煮立ったら器に盛り、好みでみじん切りにしたパセリを散らす。

ヨーグルトジュース（ブルーベリー）
‥‥400～500ml
作り方 詳細は41ページ

献立のポイント
加熱してもビタミンCが失われにくいじゃがいも（詳細は94ページ）は、毎日の献立でも大活躍します。オムレツはもちろん、ゆでて粉ふきいもにしてもおいしくいただけます。レモンマリネのように柑橘類を活用すると、減塩でも味つけにバリエーションが出ます。

水曜日 朝食

- トマトレタスサンド
- はちみつヨーグルト
- グリーンジュース

トマトレタスサンド

エネルギー 192 kcal ／ 塩分 0.9 g

【材料】（2人分）
- ライ麦パン ……… 4枚
- 粒マスタード ……………… 小さじ1
- レタス ………… 2枚
- トマト …… 輪切り4枚
- 減塩しお … 小さじ1/8
- 粗びきこしょう … 少々
- オリーブ油 … 小さじ2

【作り方】
1. レタスは手で大きくちぎる。
2. パンの半量に粒マスタードを塗り、レタス、トマトの順にのせ、減塩しおと粗びきこしょうをふる。残りのパンにオリーブ油を塗ってのせる。

はちみつヨーグルト

エネルギー 83 kcal ／ 塩分 0.1 g

【材料】（1人分）
- プレーンヨーグルト 100g
- はちみつ ……小さじ1

【作り方】
1. ヨーグルトを器に盛り、はちみつをかける。

グリーンジュース…400〜500mℓ
（小松菜）

作り方 詳細は40ページ

献立のポイント

済陽式食事療法では、はちみつ（詳細は120ページ）を1日に大さじ2杯とるようすすめています。そのままなめてもいいのですが、ときにはヨーグルトといっしょに食べてみてはいかがでしょう。ジュースに混ぜて飲むのもおすすめです。

第2章 ■ ガンが消える食事 1週間の献立

水曜日 昼食

五穀米ごはん
ピーマンと
たけのこの辛味炒め
しいたけとにらの
中華スープ
ヨーグルトジュース

エネルギー 252 kcal / **塩分 0 g**
五穀米ごはん

【材料】（1人分）
五穀米ごはん ‥‥‥‥ 1膳分（150g）

エネルギー 93 kcal / **塩分 0.4 g**
ピーマンとたけのこの辛味炒め

【材料】（2人分）
ピーマン ‥‥‥‥ 2個　　豆板醤 ‥‥‥ 小さじ1/4
赤ピーマン ‥‥‥ 1/2個　A［減塩しょうゆ 小さじ1
たけのこ水煮 ‥‥ 50g　　 ［こしょう ‥‥‥ 少々
ごま油 ‥‥‥‥ 大さじ1　白ごま ‥‥‥ 小さじ1/2

【作り方】
❶ ピーマンと赤ピーマンは、種とへたを取って千切りにする。たけのこも千切りにする。
❷ フライパンにごま油と豆板醤を入れて弱火にかけ、香りがたったら中火にし、❶を入れて炒める。
❸ しんなりとしたら、Aを回し入れ、味をなじませる。器に盛り、白ごまをふる。

エネルギー 10 kcal / **塩分 0.5 g**
しいたけとにらの中華スープ

【材料】（2人分）
干ししいたけ ‥‥‥ 2枚　　鶏がらスープの素 小さじ1
水 ‥‥‥‥ 1と1/2カップ　 ［減塩しょうゆ
にら ‥‥‥‥‥‥ 1/3束　A ‥‥‥‥‥ 小さじ1/4
　　　　　　　　　　　　　［こしょう ‥‥‥‥ 少々

【作り方】
❶ 干ししいたけは分量の水で戻し、薄切りにする。にらは4cm長さに切る。
❷ 鍋に❶のしいたけと戻し汁、鶏がらスープの素を入れて火にかけ、煮立ったらにらを加える。さっと煮たら、Aを加えて混ぜる。

ヨーグルトジュース… 400〜500mℓ
（キウイフルーツとメロン）

作り方 詳細は41ページ

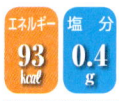

水曜日 夕食

- 玄米ごはん
- 具だくさんスープカレー
- ハーブ野菜のサラダ
- ヨーグルト
- にんじんジュース

玄米ごはん

エネルギー 248 kcal　**塩分** 0 g

【材料】（1人分）
玄米ごはん ・・・・・・・・1膳分（150g）

具だくさんスープカレー

エネルギー 238 kcal　**塩分** 0.6 g

【材料】（2人分）
じゃがいも ・・・・中1個
にんじん ・・・・・・1/3本
玉ねぎ ・・・・・・・・1/4個
A ┌ にんにく（薄切り） ・・・・・・1かけ
　├ 赤唐辛子（輪切り） ・・・・・・1/2本分
　└ オリーブ油　大さじ1
B ┌ 水 ・・・1と1/2カップ
　├ カレー粉 ・・・小さじ4
　└ コンソメ（顆粒） ・・・・・・・・小さじ1
ゆで卵 ・・・・・・・・2個
パセリ ・・・・・・・・少々

作り方
① じゃがいもとにんじんは皮をむき、小さめの乱切りにする。玉ねぎは薄切りにする。
② 鍋にAを入れて弱火にかけ、香りがたったら中火にし、①を入れてさっと炒める。Bを加え、煮立ったらアクをとって弱火にし、野菜がやわらかくなるまで煮る。
③ ②を器に盛り、スライスしたゆで卵をのせ、好みでみじん切りにしたパセリを散らす。

ハーブ野菜のサラダ

エネルギー 52 kcal　**塩分** 0.3 g

【材料】（2人分）
ルッコラ ・・・・・・・・30g
ミニトマト ・・・・・・4個
バジル ・・・・・・・・・・5g
減塩しお ・・小さじ1/4
粗びきこしょう ・・少々
オリーブ油 ・・小さじ2

作り方
① ルッコラは4cm長さに切る。ミニトマトはへたをとって、半分に切る。
② 器に①とバジルを盛り、減塩しおと粗びきこしょうをふって、オリーブ油を回しかける。

ヨーグルト

エネルギー 62 kcal　**塩分** 0.1 g

【材料】（1人分）
プレーンヨーグルト 100g

にんじんジュース…400～500mℓ（りんご）
作り方　詳細は41ページ

献立のポイント

市販のカレールウには、食品添加物が入っているので、あまりおすすめできません。そこで、カレー粉を使ったスープカレーを入れてみました。野菜をたくさん加えるとおいしさもアップします。カレー粉にはウコン（詳細は115ページ）が含まれています。

ハーブ

バジルなどハーブ類はアメリカではガン予防食品としてよく知られています（詳細は110ページ）。付け合わせだけでなくサラダなどにして、積極的にとりましょう。

木曜日 朝食

- ミックス豆とおかかの玄米おにぎり
- ヨーグルト
- にんじんジュース

ミックス豆とおかかの玄米おにぎり

377 kcal　塩分 0.5 g

【材料】(2人分)

- 玄米ごはん‥‥400g
- A ┌ ミックスビーンズ‥‥‥‥‥50g
- 　├ かつお節‥‥‥‥2g
- 　└ 黒ごま‥‥小さじ1
- 減塩しお‥小さじ1/4
- 青じそ‥‥‥‥‥4枚

作り方

1. ボウルにAを入れて混ぜ合わせる。
2. 4等分にして、三角ににぎる。
3. 表面に減塩しおをまぶし、青じそで巻く。

ヨーグルト

62 kcal　塩分 0.1 g

【材料】(1人分)

プレーンヨーグルト 100g

にんじんジュース…400〜500mℓ
（トマト）

作り方 詳細は41ページ

＊基本のジュースに好みではちみつを加えるとよい。

献立のポイント

いつも食べる玄米（詳細は98ページ）ごはんをおにぎりにしました。しそを巻いて風味と見た目をアップ。食事療法もひと手間かけると楽しい献立になります。

第2章 ■ ガンが消える食事 1週間の献立

木曜日 昼食

- ねぎと三つ葉のお好み焼き
- アプリコットヨーグルト
- グリーンジュース

ねぎと三つ葉のお好み焼き

エネルギー 259kcal　塩分 0.8g

【材料】（2人分）
- 長ねぎ・・・・・・・・・・・1本
- 三つ葉・・・・・・・・・1/2束
- やまといも・・・・・・100g
- れんこん・・・・・・・・100g
- 卵・・・・・・・・・・・・・・・2個
- ごま油・・・・・・・大さじ1
- 中濃ソース・・・小さじ4
- かつお節・青のり　各少々

【作り方】
❶ 長ねぎは小口切りにし、三つ葉は4cm長さに切る。やまといもとれんこんは皮をむいてすりおろす。
❷ ボウルに❶と割りほぐした卵を入れて混ぜ合わせる。
❸ フライパンにごま油を熱し、❷の半量を流し入れる。両面を焼き、同様にもう1枚焼く。
❹ ❸を器に盛り、ソースをかける。好みでかつお節と青のりをふる。

アプリコットヨーグルト

エネルギー 97kcal　塩分 0.1g

【材料】（1人分）
- プレーンヨーグルト 100g
- ドライアプリコット（干しあんず）・・・・・2個

【作り方】
❶ ヨーグルトを器に盛り、ドライアプリコットをのせる。

グリーンジュース… 400～500ml
（チンゲンサイ）

作り方 詳細は40ページ

献立のポイント

お好み焼きは小麦粉を使わず、やまといも（詳細は96ページ）とれんこんをすりおろしたものを生地にしています。生地がやわらかいので、よく火をとおしてかたまってから、裏返すようにしましょう。

木曜日 夕食

- 五穀米ごはん
- 鮭のごま焼き
- わかめと切干大根の酢の物
- きのこのしょうが汁
- ヨーグルトジュース

第2章 ■ ガンが消える食事 1週間の献立

1週間の献立

エネルギー	塩分
252 kcal	0 g

五穀米ごはん

【材料】(1人分)
- 五穀米ごはん ……… 1膳分(150g)

エネルギー	塩分
179 kcal	0.5 g

鮭のごま焼き

【材料】(2人分)
- 生鮭 … 1切れ(100g)
- 減塩しお … 小さじ1/8
- こしょう ……… 少々
- 白ごま ……… 大さじ2
- ブロッコリー … 1/4株
- ごま油 ……… 小さじ2
- 酒 ……… 大さじ2
- レモン汁 … 小さじ1
- A 減塩しょうゆ
- ……… 小さじ1
- ミニトマト ……… 4個

作り方
① 鮭は6等分に切り、減塩しおとこしょうをふって、白ごまをまぶす。ブロッコリーは小房に分けてゆで、水気をきる。
② フライパンにごま油を熱し、鮭と酒を加えてふたをし、両面を焼く。
③ ②を器に盛り、混ぜ合わせたAをかける。ブロッコリーとミニトマトを添える。

鮭
赤い身はアスタキサンチンという色素によるもので、これに抗ガン作用があるといわれます(詳細は125ページ)。ガンと闘う済陽式食事療法では強い味方となります。

エネルギー	塩分
20 kcal	0.4 g

わかめと切干大根の酢の物

【材料】(2人分)
- 乾燥わかめ ……… 2g
- 切干大根 ……… 10g
- 青じそ ……… 5枚
- 酢 ……… 小さじ2
- A 減塩しょうゆ
- ……… 小さじ1/2

作り方
① わかめは水で戻す。切干大根は熱湯で戻し、水気をしぼって5cm長さに切る。青じそは千切りにする。
② ボウルにAを入れて混ぜ、①を加えて和える。

エネルギー	塩分
12 kcal	0.4 g

きのこのしょうが汁

【材料】(2人分)
- しいたけ ……… 2枚
- しめじ ……… 50g
- しょうが ……… 1/2かけ
- だし汁 1と1/2カップ
- 減塩しょうゆ 小さじ1

作り方
① しいたけは薄切りにし、しめじは小房に分ける。しょうがは千切りにする。
② 鍋にだし汁としょうがを入れて火にかける。煮立ったらきのこを加え、きのこに火がとおったら減塩しょうゆを加えて混ぜる。

ヨーグルトジュース…400〜500mℓ
(グレープフルーツ)

作り方 詳細は41ページ

＊基本のジュースのレモンを1/4個にするとよい。

献立のポイント
鮭(詳細は125ページ)は抗酸化作用が強く、済陽式食事療法でもおすすめの食品です。鮭には塩蔵してあるものもあるので、購入するときは「生」と表示されているものを選ぶようにしてください。

金曜日 朝食

- 玄米フレーク フルーツヨーグルトのせ
- グリーンジュース

エネルギー 250kcal　塩分 0.8g

玄米フレーク フルーツヨーグルトのせ

【材料】（2人分）
- 玄米フレーク ……60g
- バナナ ………1本
- ブルーベリー ……50g
- プレーンヨーグルト 200g
- はちみつ ……小さじ2

【作り方】
1. バナナは輪切りにする。
2. 器に玄米フレークを入れ、ヨーグルトと果物をのせ、はちみつをかける。

グリーンジュース…400～500㎖
（水菜）

作り方 詳細は40ページ

献立のポイント

忙しくて朝ごはんを作る時間もないときには、こんなメニューで。ふつうのフレークではなく、玄米のフレークを使いましょう。牛乳のかわりにヨーグルトとはちみつをかければ、済陽式食事療法の基本をクリアします。野菜はグリーンジュースで十分とれます。

第2章 ■ ガンが消える食事 1週間の献立

金曜日 昼食

- しょうが風味の卵チャーハン
- わかめと小松菜のピリ辛スープ
- ヨーグルトジュース

しょうが風味の卵チャーハン

エネルギー 370 kcal　塩分 0.7 g

【材料】（2人分）

玄米ごはん……2膳分（300g）	卵……2個
長ねぎ……1/2本	減塩しょうゆ……大さじ1/2
小ねぎ……2本	減塩しお……小さじ1/8
しょうが……1かけ	こしょう……少々
ごま油……大さじ1	

作り方

❶ 長ねぎと小ねぎは小口切りにする。しょうがはみじん切りにする。
❷ フライパンにごま油としょうがを入れて弱火にかける。香りがたったら中火にし、溶きほぐした卵を入れ、ゆっくりとかき混ぜる。卵が半熟状になったら、長ねぎと玄米ごはんを加えて炒める。
❸ 全体に火がとおったら、減塩しょうゆを回しかけ、減塩しおとこしょうをふって、炒め合わせる。
❹ ❸を器に盛り、小ねぎを散らす。

わかめと小松菜のピリ辛スープ

エネルギー 16 kcal　塩分 0.6 g

【材料】（2人分）

乾燥わかめ……2g	ラー油……小さじ1/4
小松菜……1/4束	白ごま……小さじ1/2
A [水……1と1/2カップ／鶏がらスープの素……小さじ1／こしょう……少々]	

作り方

❶ わかめは水で戻す。小松菜は根元を切り落とし、4cm長さに切る。
❷ 鍋にAを入れて火にかけ、煮立ったら❶を加えて火を弱め、5分ほど煮る。
❸ ❷を器に盛り、ラー油をかけ、白ごまをふる。

ヨーグルトジュース… 400〜500㎖
（トマトとセロリ）

作り方 詳細は41ページ

＊基本のジュースのレモンを1/4個にして好みではちみつを加えるとよい。

金曜日 夕食

- 五穀米ごはん
- 厚揚げのこんがり焼き
- 長いものめかぶ和え
- はちみつヨーグルト
- にんじんジュース

第2章　ガンが消える食事　1週間の献立

252 kcal / 0 g 五穀米ごはん

【材料】(1人分)
- 五穀米ごはん ……… 1膳分 (150g)

163 kcal / 0.4 g 厚揚げのこんがり焼き

【材料】(2人分)
- 厚揚げ ……… 1枚
- さやいんげん ……6本
- 玉ねぎ ……… 10g
- しょうが …… 1/2かけ
- A ┌ 減塩しょうゆ ……… 大さじ1/2
　　└ 酢 ……… 大さじ1/2

作り方
1. 厚揚げは熱湯をかけて油抜きする。さやいんげんはゆでて、半分に切る。
2. 玉ねぎはみじん切りにし、しょうがはすりおろす。Aと混ぜ合わせて薬味だれをつくる。
3. 厚揚げをオーブントースターで焼き色がつくまで焼き、ひと口大に切る。
4. ❸を器に盛り、❷をかけ、さやいんげんを添える。

35 kcal / 0.3 g 長いものめかぶ和え

【材料】(2人分)
- 長いも ……… 4cm
- めかぶ ……… 50g
- A ┌ 酢 ……… 小さじ2
　　└ 減塩しょうゆ ……… 小さじ1
- かつお節 ……… 少々

作り方
1. 長いもは皮をむいて、千切りにする。
2. ボウルにAを入れて混ぜ、❶とめかぶを加えて和える。
3. ❷を器に盛り、かつお節をのせる。

83 kcal / 0.1 g はちみつヨーグルト

【材料】(1人分)
- プレーンヨーグルト 100g
- はちみつ …… 小さじ1

作り方
1. ヨーグルトを器に盛り、はちみつをかける。

にんじんジュース…400～500㎖（オレンジ）
作り方 詳細は41ページ

献立のポイント
植物性たんぱく質を豊富に含む大豆（詳細は97ページ）は、済陽式食事療法では大事なたんぱく質源となります。そのままでは消化しにくい大豆は、納豆、豆腐、厚揚げなどの加工食品を活用するようにしましょう。

大豆
マウスの実験でガン抑制効果が確認され、ガン予防には欠かせない食品です。大豆そのものは食物繊維が多いので、手術などで消化吸収能力が低下している人は加工食品をとるようにしましょう。

土曜日 朝食

- 五穀米ごはん
- ほうれん草の卵焼き
- ヨーグルト
- にんじんジュース

エネルギー 252 kcal／塩分 0 g
五穀米ごはん
【材料】（1人分）
五穀米ごはん ……… 1膳分（150g）

エネルギー 120 kcal／塩分 0.4 g
ほうれん草の卵焼き
【材料】（2人分）
- ほうれん草 …… 1/4束
- A ┌ 卵 ………… 2個
　　└ 砂糖・だし汁 …… 各小さじ2
- ごま油 …… 小さじ1
- 大根 ………… 2cm
- 減塩しょうゆ …… 小さじ1

【作り方】
❶ ほうれん草はゆでて水気をしぼり、1cm長さに切る。ボウルにAを入れて混ぜ、ほうれん草を加えて混ぜ合わせる。
❷ 卵焼き用のフライパンにごま油の半量をひき、キッチンペーパーで薄くのばす。
❸ ❶をよく混ぜ、半量を❷に入れ、半熟状になったら一方に寄せる。残りのごま油をのばし、残りの卵液を加え、火をとおしながら巻いていく。あら熱がとれたら食べやすい大きさに切り、器に盛る。
❹ 大根はすりおろし、ザルにあけて水きりして❸に添え、減塩しょうゆをかける。

エネルギー 62 kcal／塩分 0.1 g
ヨーグルト
【材料】（1人分）
プレーンヨーグルト 100g

にんじんジュース…400～500mℓ
（いちご）

作り方詳細は41ページ

第2章 ■ ガンが消える食事 1週間の献立

土曜日 昼食

- きのこのペペロンチーノ
- バナナヨーグルト
- グリーンジュース

きのこのペペロンチーノ

エネルギー 472 kcal／塩分 0.6 g

【材料】（2人分）
- 全粒粉スパゲッティ ……200g
- まいたけ ………100g
- しいたけ ………3枚
- A ┌ にんにく（薄切り） 1かけ
- 　├ 赤唐辛子（輪切り） 1本分
- 　└ オリーブ油　大さじ2
- 減塩しお ……小さじ1/2
- 粗びきこしょう ‥少々
- パセリ ………少々

【作り方】
1. まいたけは小房に分け、しいたけは薄切りにする。
2. フライパンにAを入れて弱火にかけ、香りがたったら中火にし、❶を加えて炒める。
3. たっぷりのお湯でスパゲッティをゆでる。ゆであがったら、ザルにとって水気をきる。
4. ❷に❸を加えて炒め合わせ、減塩しおで調味する。器に盛り、粗びきこしょうとみじん切りにしたパセリを散らす。

バナナヨーグルト

エネルギー 105 kcal／塩分 0.1 g

【材料】（1人分）
- プレーンヨーグルト 100g
- バナナ ………1/2本

【作り方】
1. バナナは皮をむいて輪切りにする。
2. ヨーグルトを器に盛り、❶をのせる。

グリーンジュース… 400〜500mℓ
（キャベツ）

作り方 詳細は40ページ

献立のポイント

減塩が基本の済陽式食事療法では、スパゲッティは塩を入れない湯でゆでます。ちょっとした工夫（詳細は70ページ）が大切です。

土曜日 夕食

- 玄米ごはん
- 鶏となすのバルサミコソテー
- かぼちゃのはちみつ和え
- 千切り野菜のスープ
- ヨーグルトジュース

第2章 ■ ガンが消える食事 1週間の献立

1週間の献立

玄米ごはん
エネルギー 248kcal／塩分 0g

【材料】（1人分）
玄米ごはん ……… 1膳分（150g）

鶏となすのバルサミコソテー
エネルギー 203kcal／塩分 0.6g

【材料】（2人分）
- 鶏ささ身 ……… 2本
- 減塩しお … 小さじ1/4
- こしょう ……… 少々
- なす ……… 2本
- にんにく ……… 1かけ
- オリーブ油 … 大さじ2
- A
  - バルサミコ酢 ……… 大さじ1
  - 減塩しょうゆ ……… 小さじ1
- パセリ ……… 少々

【作り方】
1. 鶏ささ身は薄いそぎ切りにし、減塩しおとこしょうをふる。なすは乱切りにし、水にさらす。にんにくは薄切りにする。
2. フライパンにオリーブ油とにんにくを入れて弱火にかけ、香りがたったら鶏ささ身となすを炒める。鶏ささ身に火がとおったら、Aを加えて味をからめる。
3. ❷を器に盛り、好みでみじん切りにしたパセリを散らす。

かぼちゃのはちみつ和え
エネルギー 66kcal／塩分 0.1g

【材料】（2人分）
- かぼちゃ ……… 100g
- A
  - はちみつ … 小さじ2
  - 減塩しお 小さじ1/8

【作り方】
1. かぼちゃは1cm厚さのひと口大に切る。
2. 耐熱ボウルに❶を入れ、ラップをかけて電子レンジ（600W）で2分ほど加熱し、Aと和える。

千切り野菜のスープ
エネルギー 11kcal／塩分 0.4g

【材料】（2人分）
- 大根 ……… 2cm
- にんじん ……… 10g
- 絹さや ……… 4枚
- A
  - 水 … 1と1/2カップ
  - コンソメ（顆粒） ……… 小さじ1
- 粗びきこしょう … 少々

【作り方】
1. 大根とにんじんは千切りにする。絹さやは斜め千切りにする。
2. 鍋にAを入れて火にかける。煮立ったら、❶を加えて5分ほど煮る。
3. ❷を器に盛り、粗びきこしょうをふる。

ヨーグルトジュース…400〜500ml
（ぶどう）

作り方 詳細は41ページ

献立のポイント

済陽式食事療法ですすめられる肉類は鶏肉（詳細は122ページ）です。鶏肉は飽和脂肪酸が少なく、低脂質で質のいいたんぱく質がとれる食品です。脂質の少ないささ身やもも肉を選び、皮は取り除いて食べるなどすると、より効果的です。

玄米

ガンの要因のひとつに、ビタミンB₁不足によってクエン酸回路がうまく働かないことが挙げられます。玄米には現代人に不足しがちなビタミンB₁が含まれています（詳細は98ページ）。

日曜日 朝食

- ライ麦パン
- ミネストローネ
- ヨーグルトジュース

エネルギー 132 kcal / 塩分 0.6 g

ライ麦パン

【材料】（1人分）
ライ麦パン　2枚（50g）

エネルギー 49 kcal / 塩分 0.5 g

ミネストローネ

【材料】（2人分）

玉ねぎ･･････1/8個	水･･････1/2カップ
セロリ･･････1/4本	無塩トマトジュース
大豆（ゆで）･･････30g	A　･･････1カップ
	コンソメ（顆粒）
	･･････小さじ1
	粗びきこしょう･･少々

【作り方】
1. 玉ねぎとセロリはみじん切りにする。
2. 鍋にAを入れて火にかける。煮立ったら、①と大豆を加え、火を弱め10分ほど煮る。
3. ②を器に盛り、粗びきこしょうをふる。

ヨーグルトジュース…400〜500ml
（黄ピーマンとパイナップル）

作り方 詳細は41ページ

献立のポイント

トマト（詳細は86ページ）はさまざまなガンに効くといわれています。トマトベースのミネストローネは野菜がたっぷり入ったスープです。ジュースを飲むと冷える、おなかをこわすといった人は、このようなスープで野菜をたくさんとってもいいでしょう。

第2章　ガンが消える食事　1週間の献立

日曜日 昼食

- 納豆と野菜のネバネバ丼
- レーズンヨーグルト
- にんじんジュース

納豆と野菜のネバネバ丼

エネルギー 368kcal ／ 塩分 0.6g

【材料】（2人分）
- 玄米ごはん ……… 2膳分（300g）
- 長いも ……… 4cm
- 納豆 ……… 80g
- めかぶ ……… 50g
- 小ねぎ ……… 1本
- 刻みのり ……… 少々
- A
  - 酢 ……… 大さじ1
  - 減塩しょうゆ ……… 小さじ2
  - 練りわさび ……… 小さじ1/4

【作り方】
1. 長いもは皮をむき、1cm角に切る。納豆は混ぜてねばりを出す。小ねぎは小口切りにする。
2. 器に玄米ごはんを盛り、刻みのりを散らす。長いも、納豆、めかぶをのせ、小ねぎを散らす。
3. 混ぜ合わせたAを回しかけていただく。

レーズンヨーグルト

エネルギー 92kcal ／ 塩分 0.1g

【材料】（1人分）
- プレーンヨーグルト 100g
- レーズン（干しぶどう） ……… 10g

【作り方】
1. ヨーグルトを器に盛り、レーズンをのせる。

にんじんジュース… 400～500ml
（みかん）

作り方 詳細は41ページ

献立のポイント

生活習慣病予防などで、おすすめできないものにされがちな丼ものですが、具を納豆（詳細は97ページ）のように、ヘルシーなものにすればまったく問題ありません。むしろ、主食と主菜を兼ねた便利な献立になります。

日曜日 夕食

- 五穀米ごはん
- なめこと豆腐の和風煮
- 水菜のごま和え
- ヨーグルト
- グリーンジュース

第2章　ガンが消える食事　1週間の献立

エネルギー 252 kcal　塩分 0 g

五穀米ごはん

【材料】（1人分）
五穀米ごはん ‥‥‥‥ 1膳分（150g）

エネルギー 99 kcal　塩分 0.6 g

なめこと豆腐の和風煮

【材料】（2人分）
絹ごし豆腐 ‥‥‥‥ 1丁
三つ葉 ‥‥‥‥‥‥ 8本
なめこ ‥‥‥‥‥‥ 100g
A ┌ だし汁 ‥‥ 3/4カップ
　├ 減塩しょうゆ
　│ ‥‥‥‥‥‥ 小さじ2
七味唐辛子 ‥‥‥‥ 少々

作り方
❶豆腐は1.5cm厚さのひと口大に切る。三つ葉は3cm長さに切る。
❷鍋にAを加えて火にかけ、煮立ったら豆腐となめこを加えて火を弱め、10分ほど煮る。
❸❷を器に盛り、三つ葉をのせ、好みで七味唐辛子をふる。

エネルギー 30 kcal　塩分 0.3 g

水菜のごま和え

【材料】（2人分）
水菜 ‥‥‥‥‥‥‥ 100g
A ┌ 白すりごま　大さじ1
　├ 砂糖 ‥‥‥ 小さじ1
　├ 減塩しょうゆ
　│ ‥‥‥‥‥ 小さじ1/2
　└ 減塩しお ‥ 小さじ1/8

作り方
❶沸騰した湯で水菜をさっとゆで、冷水にとって水気をしっかりしぼり、4cm長さに切る。
❷ボウルにAを入れて混ぜ、❶を加えて和える。

エネルギー 62 kcal　塩分 0.1 g

ヨーグルト

【材料】（1人分）
プレーンヨーグルト 100g

グリーンジュース…400～500㎖
（ほうれん草）
作り方　詳細は40ページ

献立のポイント

ゆでた野菜でつくる和えものもおすすめです。ゆでると野菜のカサが減り、たくさん食べられます。しょうゆを少なくするために、ごま和えや白和えにするとよいでしょう。

ごま

セサミンという抗酸化成分が含まれています。また、大腸ガンの予防に効くオレイン酸も豊富です（詳細は113ページ）。ごまはかたい殻に覆われているので、いりごまよりもすってあるすりごまを使ったほうが、栄養素を効率よくとることができます。

1週間の献立

減塩食をつくるときのポイント

減塩のしょうゆや塩を上手に活用しよう

食塩を控えるときに、注意しなければならないのが**調味料**です。塩はもちろんですが、しょうゆ、みそ、ソースなどにも食塩が含まれています。

高血圧の増加から、最近では減塩しょうゆも開発されました。

通常の塩は100g中には100gの食塩が含まれますが、減塩しおは100g中に約50g、こちらも食塩は約半分に抑えられています。

できるだけ控えるとはいっても、味つけをしないで食べるのは味気ないもの。控えながらもおいしく食べたいと思うのは自然なことです。そんなときにおすすめなのが、減塩しょうゆやふつうの濃い口しょうゆだと、小さじ1杯（5㎖）に含まれる食塩は0.9gですが、減塩しょうゆだと0.4g程度で約半分です。

自家製調味料をつくってみよう

減塩の調味料は味気ない、という人は自分で調味料をつくりましょう。しょうゆだし汁、酢、かぼすやすだち、ゆずなど**柑橘類**のしぼり汁を加えれば、塩分控えめのポン酢ができあがります。

唐辛子、しょうが、にんにく、しそ、みょうが、わさびなどの**香辛料**や**香味野菜**、ごまやナッツなどの**種実類**を活用すると、香りや風味が増して、薄味でも味わい深くなります。

スパゲッティなどをゆでるときには、塩を入れずにゆでましょう。

濃い味つけに慣れた人は、最初、物足りなく感じるかもしれませんが、薄味にすると素材そのものの味わいを楽しめます。ガン体質を改善するためにも、今日から減塩食を始めましょう。

さらに、もうひとつ気をつけて欲しいのが、**加工食品**に含まれる塩分です。なかでも、漬け物、ちくわ、ハムなどは塩分が多めです。**食品添加物**（詳細は136ページ）の心配もありますし、治療中は厳禁です。市販のコンソメ、だしの素、鶏がらスープの素などにも食塩が含まれています。できるだけ自分でだしをとって調理するようにしましょう。

第3章 ガンが消える食べ物事典

野菜・いも類・穀類

キャベツ

免疫力
腸内環境

ガン予防効果で高い評価を受けている

キャベツの基本データ

基本データ
アブラナ科アブラナ属　　旬は春と冬
エネルギー（100g）・・・・・・・・ 23kcal

多く含まれる栄養素
ビタミンC（100g）・・・・・・・ 41mg
ビタミンK（100g）・・・・・・・ 78μg
パントテン酸（100g）・・・・・ 0.22mg

ガンに効く栄養素
イソチオシアネート（152ページ）、ペルオキシダーゼ（156ページ）、ビタミンC（25ページ）、ビタミンU（155ページ）

このガンに効く！
肺ガン、肝臓ガン、胃ガン、大腸ガン、膀胱ガン

ビタミンC・ビタミンUも豊富

ほかにもガン予防に有効なビタミンが豊富です。ビタミンCは発ガンの予防効果が確認され、**膀胱ガン**や**大腸ガン**を縮小させるという報告もあります。

一般に、ビタミンCは加熱すると半分以下に減り、千切りにして水にさらすと約20％が失われます。

また、キャベツには胃腸の粘膜を保護して、胃・十二指腸潰瘍を予防・改善する**ビタミンU**も含まれています。豊富な食物繊維は便通をよくして腸内環境を整え、**大腸ガン**をはじめ生活習慣病の予防と改善に役立ちます。

イオウ化合物が発ガン物質を抑える

キャベツの有効成分でもっとも有力なものは**イソチオシアネート**です。これはアブラナ科の野菜に含まれているイオウ化合物で、発ガン物質を抑制してガンを防ぐ働きがあります。

タバコの煙に含まれる発ガン物質が原因で生じる**肺ガン**や**肝臓、胃、大腸など**の**ガン**に有効という報告があります。

次に知られているものは**ペルオキシダーゼ**です。これは辛みのもとになる成分で、ニトロソアミンなどの発ガン物質を無毒化する働きがあります。

アメリカ国立がん研究所が発表した「デザイナーフーズ・ピラミッド」では、ガンを予防する食品として、2番目に高い評価を受けました。

ガンに効く食べ合わせ

キャベツはβカロテンをそれほど多く含んでいない。緑黄色野菜をいっしょにとるとよい。

βカロテンを多く含む食べ物
ほうれん草 78ページ 、ブロッコリー 73ページ 、小松菜 76ページ

レシピ掲載ページ ➡
40ページ、45ページ

72

ブロッコリー

スルフォラファンがガンを抑制

強い抗ガン作用に期待

ガンや老化を防ぐ物質が豊富に含まれていることがわかり、注目され始めたのがブロッコリーです。

ジョンズ・ホプキンス大学のタラレー教授は、ブロッコリーに含まれる**スルフォラファン**にガン予防効果があることを発見しました。

スルフォラファンはアブラナ科の野菜に含まれるイオウ化合物で、辛みやにおいの成分です。ブロッコリーを切ったりすりつぶしたりしたときに、酵素の働きでスルフォラファンが発生します。そのまま食べても、腸内細菌の働きでスルフォラファンにかわります。

強力な抗酸化作用があり、ガンや老化を促す活性酸素を消去します。

ブロッコリーの基本データ

基本データ
- アブラナ科アブラナ属
- 旬は秋から春にかけて
- エネルギー（100g）‥‥‥‥33kcal

多く含まれる栄養素
- ビタミンC（100g）‥‥‥‥120mg
- βカロテン（100g）‥‥‥‥800μg
- 食物繊維（100g）‥‥‥‥4.4g

ガンに効く栄養素
スルフォラファン（155ページ）、βカロテン（156ページ）、ビタミンC（25ページ）、ビタミンE（25ページ）、ビタミンB₁（149ページ）、セレン（151ページ）

（免疫力／腸内環境）

スプラウトには20倍以上含まれる

ブロッコリースプラウト（発芽段階のブロッコリー）には、成熟したものの20倍以上ものスルフォラファンが含まれています。スプラウトか未熟なブロッコリーをとるとより効果的です。

ほかにも、体内でビタミンAとなりガン予防に働くβカロテン、活性酸素を無毒化するビタミンC・E、ビタミンB群などが含まれています。セレンは、活性酸素を無毒化するグルタチオンペルオキシダーゼという酵素の成分となり、ガン予防に働きます。

ガンに効く食べ合わせ

それだけでもガン予防に効く栄養素が豊富だが、ビタミンEやビタミンB₁を含む野菜をいっしょにとるとよい。

ビタミンEやビタミンB₁を多く含む食べ物
- かぼちゃ（89ページ）、ほうれん草（78ページ）、玄米（98ページ）、そば（99ページ）

レシピ掲載ページ
40ページ、57ページ

野菜・いも類・穀類

大根

辛み成分には強い抗酸化作用

免疫力 / 腸内環境 / ミネラルバランス

大根の基本データ

基本データ
アブラナ科ダイコン属　旬は冬から春
エネルギー（100g）25kcal（葉）・18kcal（根）

多く含まれる栄養素
カリウム（葉／100g）……400mg
βカロテン（葉／100g）……3900μg
葉酸（葉／100g）………140μg

ガンに効く栄養素
イソチオシアネート（152ページ）、アミラーゼ（157ページ）、オキシダーゼ（157ページ）、βカロテン（156ページ）、ビタミンC（25ページ）、ビタミンE（25ページ）

免疫細胞が活性化される

大根の辛みのもとはイソチオシアネートというイオウ化合物です。肝臓を助けて解毒作用を強化し、ガンの発生を抑制します。ほかに、心筋梗塞や脳梗塞を引き起こす血栓をできにくくします。葉に比べ、大根の上澄み液を与えたマウスは実験の結果、蒸留水を与えたマウスにする機能が強いと考えられています。さんつくる白血球ほど、ガン細胞を撃退きにつくられる物質です。TNFをたくるたんぱく質で、白血球が活性化したとました。TNFは腫瘍壊死因子と呼ばれスに与え、血液中のTNFの変化を調べ根をすりつぶしたものの上澄み液をマウ帝京大学薬学部の山崎正利教授は、大ところに豊富に含まれています。近いところよりも、辛みの強い根に近い

れるビタミンA（βカロテン）・C・Eが豊富に含まれています。大根の葉にはガン予防のエースといわ発ガン物質を無毒化するといわれます。オキシダーゼは魚の焼け焦げに含まれるラーゼは胃のもたれや消化不良を改善し、アミどの消化酵素が含まれています。アミ大根にはアミラーゼやオキシダーゼな

焦げに含まれる発ガン物質を無毒化

TNFの量が10倍ほどに増加したそうです。詳しいしくみはわかっていませんが、大根の上澄み液に、ガン細胞を撃退する非常に強い力があることを示しています。

ガンに効く食べ合わせ

葉に免疫力を高めたり、ミネラルバランスを整える栄養素が多いので、根といっしょに食べるとよい。根だけをとるときにはβカロテンやビタミンB₁を多く含む食べ物をいっしょにとるとよい。

ビタミンB₁を多く含む食べ物
春菊 77ページ、大豆 97ページ、玄米 98ページ、そば 99ページ

レシピ掲載ページ

43ページ、46ページ、57ページ、62ページ、65ページ

かぶ

グルコシノレートが発ガンを抑制する

アブラナ科の野菜に共通する成分として、辛みのもとになる**グルコシノレート**も含んでいます。グルコシノレートは加熱して食べると**肝臓の解毒作用**を高めます。動物実験で発ガンを抑制する効果が認められたという報告もあります。消化酵素の**アミラーゼ**が豊富に含まれていて消化を助ける作用もあります。

かぶの葉は緑黄色野菜

かぶの葉は、根にはほとんど含まれていない栄養素を含む緑黄色野菜です。体内でビタミンAに変化し、免疫力を高めてガンを予防するβカロテンを豊富に含み、βカロテンがビタミンAに変化するのに必要なナイアシンやパントテン酸などのビタミンB群も含んでいます。

肝臓の解毒作用を高める

かぶには抗酸化作用の高いビタミンCが豊富に含まれていて、ガンをはじめさまざまな病気や老化の予防が期待できる食べ物です。

カリウムも豊富で、体内のミネラルバランスが一定になるよう働き、発ガンの抑制や高血圧予防効果を発揮します。葉にはからだをつくるβカロテン、ビタミンCが免疫力を強化して病気に負けないからだをつくるβカロテン、ビタミンCが豊富です。

ビタミンCも豊富で、強力な抗酸化作用で免疫力を高めます。食物繊維が多いため、便通を改善し、コレステロールや血糖値を抑える効果も期待できます。捨てずに利用しましょう。

かぶの基本データ

基本データ
アブラナ科アブラナ属
旬は冬から春にかけて
エネルギー（100g）20kcal（葉）・20kcal（根）

多く含まれる栄養素
βカロテン（葉／100g）	2800μg
ビタミンC（葉／100g）	82mg
カルシウム（葉／100g）	250mg

ガンに効く栄養素
グルコシノレート（154ページ）、βカロテン（156ページ）、ビタミンC（25ページ）

ガンに効く食べ合わせ

葉に免疫力を高めたり、腸内環境を整える栄養素が多いので、根といっしょに食べるとよい。根だけをとるときにはβカロテンやビタミンB₁を多く含む食べ物をいっしょにとるとよい。

βカロテンを多く含む食べ物
ブロッコリー 73ページ、にんじん 84ページ、かぼちゃ 89ページ

- ミネラルバランス
- 免疫力
- 腸内環境
- クエン酸回路

野菜・いも類・穀類 ● 大根／かぶ

野菜・いも類・穀類

小松菜
グルコシノレートで有害物質の解毒を促す

小松菜の基本データ

基本データ	
アブラナ科アブラナ属	旬は冬
エネルギー（100g）	14kcal

多く含まれる栄養素	
βカロテン（100g）	3100µg
クリプトキサンチン（100g）	28µg
ビタミンC（100g）	39mg

ガンに効く栄養素
βカロテン（156ページ）、グルコシノレート（154ページ）、ビタミンC（25ページ）、カリウム（28ページ）、グルタチオン（154ページ）

このガンに効く！
肝臓ガン

肝臓の働きを高めて解毒力をアップ

代表的な緑黄色野菜のひとつです。アブラナ科植物に共通している、抗ガン作用のある**グルコシノレート**を含みます。グルコシノレートは肝臓の働きを助け、有害物質の解毒作用を高めます。動物実験ではグルコシノレートを与えると**ガンが発症しにくい**という結果があります。

また、抗酸化成分であるβカロテンとビタミンCを含みます。βカロテン、ビタミンCともに免疫力を高めるので、ダブルでガンを予防します。体内のミネラルバランスを一定に保ち、高血圧や発ガンを予防するカリウムも豊富です。シュウ酸やアクが少なく、そのまま食べられるのも大きな特徴です。

マウスやヒトで効果が確認された

小松菜に豊富に含まれている、強力な抗酸化成分である**グルタチオン**の働きも見逃せません。アメリカのハーバード大学の研究で、口の中にガンを発生させたハムスターにグルタチオンを投与するとガンが治ったという報告があります。ドイツのチューリンゲン大学では、カビの毒でガンを発症したマウスにグルタチオンを与えたところ10カ月間生存したそうです。また、ヒトの研究では、**肝臓ガン**の患者さん数人にグルタチオンをとってもらったところ、ガンの増殖が抑えられたそうです。

ガンに効く食べ合わせ

免疫力を高めるビタミンA・Cを多く含む緑黄色野菜。腸内環境を整える食べ物や、ビタミンB₁を含む食べ物をいっしょにとるとよい。

ビタミンB₁を多く含む食べ物
春菊 77ページ、大豆 97ページ、玄米 98ページ、そば 99ページ

レシピ掲載ページ
40ページ、47ページ、59ページ

免疫力／ミネラルバランス

第3章 ■ ガンが消える食べ物事典

野菜・いも類・穀類 ●小松菜／春菊

春菊

βカロテンがほうれん草よりも豊富

免疫力
クエン酸回路
ミネラルバランス

クエン酸回路を円滑に働かせる

強い抗酸化作用があり、ガン、動脈硬化をはじめさまざまな生活習慣病、老化を予防するβカロテンを、ほうれん草以上に豊富に含んでいます。ビタミンB₁・B₂・B₆などのビタミンB群、ビタミンCも豊富です。**ビタミンB₁**は糖質・たんぱく質・脂質の代謝に不可欠な栄養素で、クエン酸回路をスムーズに機能させます。

ビタミンCは抗酸化成分として過酸化脂質の産生を抑え、疲労を回復し、ストレスへの抵抗性を高め、ガンや老化を予防します。また皮膚の新陳代謝を活発にして肌を若々しく保つ作用もあります。体内のミネラル濃度を調整するカリウムやカルシウムも豊富に含んでいます。

葉緑素が発ガン物質を抑制

春菊は**葉緑素**も豊富です。緑色をした植物の細胞の中にある葉緑体は、日光を受けて光合成を行います。葉緑体の色素が葉緑素です。これに発ガン物質を抑制する働きがあると注目されています。

発ガン物質と葉緑素を混ぜたエサをサルモネラ菌に与えると、発ガン物質だけ加えたエサを与えたときよりも、細胞の突然変異が減少しました。ショウジョウバエの実験でも、発ガン物質だけを加えたエサを与えた場合より、死亡率が減少しました。この結果から、葉緑素が**発ガン物質の働きを抑える**のではないかと考えられています。

春菊の基本データ

基本データ
キク科キク属	旬は冬
エネルギー（100g）	22kcal

多く含まれる栄養素
βカロテン（100g）	4500μg
ビタミンC（100g）	19mg
ビタミンB₁（100g）	0.1mg

ガンに効く栄養素
βカロテン（156ページ）、ビタミンB群（149ページ）、ビタミンC（25ページ）、カリウム（28ページ）、葉緑素（157ページ）

ガンに効く食べ合わせ

免疫力を高めるビタミンA・Cを多く含む緑黄色野菜。腸内環境を整える食べ物や、ビタミンB₁を含む食べ物をいっしょにとるとよい。

腸内環境を整える食べ物
山いも 96ページ → りんご 100ページ、海藻類 108ページ → きのこ類 109ページ → ヨーグルト 128ページ

レシピ掲載ページ
40ページ

野菜・いも類・穀類

ほうれん草

緑黄色野菜の代表　免疫力を高め、ガンを抑制する

ほうれん草の基本データ

基本データ	
アカザ科ホウレンソウ属	旬は冬
エネルギー（100g）	20kcal
多く含まれる栄養素	
βカロテン（100g）	4200μg
カリウム（100g）	690mg
ビタミンC（100g／冬）	60mg
ガンに効く栄養素	
ルテイン（157ページ）、βカロテン（156ページ）、葉酸（149ページ）、ビタミンC（25ページ）	
このガンに効く！	
皮膚ガン、白血病、乳ガン、肝臓ガン、肺ガン	

また、独立行政法人食品総合研究所がヒトの**白血病細胞**に、野菜の成分を投与してガンの予防効果を調べたところ、ほうれん草にもっとも強い働きがあり、**乳ガンや肝臓ガン、肺ガン**の細胞を死滅させることが明らかになりました。

動脈硬化を予防して免疫力を高める

ビタミンB群である**葉酸**も豊富です。葉酸は貧血を予防し、ガンを予防する働きも注目されています。豊富に含まれている葉緑素は、血液中のLDL（悪玉コレステロール）を減らす一方で、HDL（善玉コレステロール）を増やし、動脈硬化を予防して免疫力を高めます。

抗酸化成分であるビタミンCも豊富で、ガンや老化を予防し、ストレスへの抵抗力を高め、疲労回復に役立ちます。体内のミネラルバランスを安定させるカリウムやカルシウム、貧血を予防する鉄も含んでいます。

ルテインが発ガンを抑制

強力な抗酸化成分である**βカロテン**が非常に多く含まれています。それだけでなく、**ルテイン**も非常に多く含まれています。京都府立医科大学の西野輔翼教授は、ルテインの抗酸化作用に注目し、ルテインを発生させ、そこにルテインを塗ったところ、ルテインを塗ったマウスは塗らないマウスよりも、皮膚ガンの発生個数が少なく、**65％抑制**されたそうです。

○ ミネラルバランス
○ 免疫力

ガンに効く食べ合わせ

免疫力を高めるビタミンA・Cを多く含む緑黄色野菜。腸内環境を整える食べ物や、ビタミンB₁を含む食べ物をいっしょにとるとよい。

ビタミンB₁を多く含む食べ物
春菊 77ページ、大豆 97ページ、
玄米 98ページ、そば 99ページ

▶ **レシピ掲載ページ**
40ページ、62ページ

あしたば

切ったときに出る黄色い汁に強力な抗酸化成分が含まれる

あしたばの基本データ

基本データ
セリ科シシウド属	旬は夏
エネルギー（100g）	33kcal

多く含まれる栄養素
βカロテン（100g）	5300μg
カリウム（100g）	540mg
ビタミンB_1（100g）	0.10mg

ガンに効く栄養素
カルコン（153ページ）、トリテルペノイド（155ページ）、クマリン（154ページ）、βカロテン（156ページ）、ビタミンB_1（149ページ）

このガンに効く！
皮膚ガン、肺ガン、大腸ガン

カルコンとトリテルペノイドがガンを抑制

あしたばの茎を折ると、中から「黄汁」と呼ばれる黄色い汁が出てきます。黄汁には**カルコンとトリテルペノイド**という強力な抗酸化成分が含まれています。

明治薬科大学の奥山徹教授が、14種類のセリ科植物から抽出した成分で、ガンの抑制効果を調べたところ、あしたばにもっとも強い効果がありました。

マウスの背中に発ガン物質を塗り、発ガン促進物質を加えた実験で、あしたばのカルコンを与えたマウスは**皮膚ガン**の発生率が半分以下に抑えられたそうです。ほかの実験では、カルコンに**肺ガンと大腸ガン**の抑制傾向があるという結果が得られました。

トリテルペノイドについてもほぼ同様の作用があると考えられています。

クマリンが有害物質を解毒

もうひとつ特筆すべきが、あしたばに含まれる**クマリン**という物質です。これは柑橘類の皮に含まれる香り成分で、動物実験ではガンを抑制する働きが確認されています。過酸化脂質の産生を抑え、有害物質の解毒を高めます。

ほかにビタミンB群やβカロテン、カリウム、ビタミンCも多く含まれています。ビタミンB_1やカリウムはクエン酸回路を円滑に働かせ、ビタミンCは強力な抗酸化作用でガンを予防します。

ガンに効く食べ合わせ

免疫力を高めるビタミンA・Cを多く含む緑黄色野菜。腸内環境を整える食べ物や、ビタミンB_1を含む食べ物をいっしょにとるとよい。

腸内環境を整える食べ物
山いも 96ページ、りんご 100ページ、海藻類 108ページ、きのこ類 109ページ、ヨーグルト 128ページ

免疫力
クエン酸回路
ミネラルバランス

野菜・いも類・穀類

菜の花

イオウ化合物が抗ガン作用に力を発揮する

免疫力 / ミネラルバランス / 腸内環境

菜の花の基本データ

基本データ
- アブラナ科アブラナ属
- 旬は冬から春にかけて
- エネルギー（100g）‥‥‥‥‥33kcal

多く含まれる栄養素
- βカロテン（100g）‥‥‥‥‥2200μg
- ビタミンC（100g）‥‥‥‥‥130mg
- 食物繊維（100g）‥‥‥‥‥‥4.2g

ガンに効く栄養素
イソチオシアネート（152ページ）、βカロテン（156ページ）、ビタミンC（25ページ）、カリウム（28ページ）、食物繊維（31ページ）

このガンに効く！
大腸ガン

パセリよりも豊富なビタミンC

菜の花は非常にたくさんの栄養素を含んでいます。そのうえ、菜の花が属するアブラナ科植物は、**イソチオシアネート**という強い抗ガン作用があるイオウ化合物を含んでいます。

βカロテンは強い抗酸化作用があり、体内でビタミンAとなってガンを予防します。**ビタミンC**は免疫力を高め、抗ストレス・抗疲労物質として働き、ガンを予防します。ビタミンCの含有量はとても多く、野菜のなかでトップクラスです。

葉緑素が発ガン物質を抑制

カリウムはナトリウムとともに体内のミネラルバランスを一定に保ち、ガン予防に働きます。

豊富な**食物繊維**は、便をやわらかくしたり、腸の働きを活発にしたりして便通を改善します。また、ビフィズス菌などの善玉菌を増やして悪玉菌を減らし、腸内環境を整え、有害な物質を便とともに排泄するのを促します。これらの働きが**大腸ガン**の発生を抑えるといわれます。

さらに、食物繊維は食べ物に含まれる糖の吸収を遅くして血糖値の急激な上昇を抑えたり、コレステロールの吸収を抑えたりする働きがあります。

ガンに効く食べ合わせ

免疫力を高めるビタミンA・Cを多く含む緑黄色野菜。クエン酸回路をスムーズに働かせるビタミンB1を含む食べ物をいっしょにとるとよい。

ビタミンB1を多く含む食べ物
- 大豆（97ページ）
- 玄米（98ページ）
- そば（99ページ）

モロヘイヤ

栄養満点、野菜の王様「王家の野菜」

野菜のなかでは多く、クエン酸回路に作用します。過酸化脂質の産生を抑え、ガンを予防するビタミンEや、体内のミネラルバランスに作用するカリウムも多く含まれています。

達を円滑にするカルシウム、血圧を安定させたり筋肉の収縮をコントロールしたりするマグネシウム、鉄欠乏性貧血を予防する鉄、免疫機能を高める亜鉛、抗酸化作用のある酵素を活性化させるマンガンなど、生命維持に必要な栄養素が数多く含まれる優れた野菜です。

βカロテンがにんじん以上に豊富

優れた栄養をもつことから、エジプトでは「王家の野菜」と呼ばれます。エジプト料理には今も欠かせない野菜です。体内でビタミンAに変化して、強い抗酸化作用を発揮する**βカロテン**を豊富に含みます。含有量はβカロテンの宝庫といわれる**にんじんより豊富**です。

ビタミンCも多く、免疫力を高めてガン予防に働きます。ビタミンB₁・B₂・B₆、ナイアシン、葉酸などのビタミンB群も

ミネラルが免疫機能を増強する

ほかにも、さまざまな栄養素が豊富です。血液をかためる凝固系因子として必要なビタミンK、骨や歯をつくり神経伝

モロヘイヤの基本データ

基本データ
シナノキ科ツナソ属	旬は夏
エネルギー（100g）	38kcal

多く含まれる栄養素
βカロテン（100g）	10000μg
ビタミンE（100g）	7.0mg
パントテン酸（100g）	1.83mg

ガンに効く栄養素
βカロテン（156ページ）、ビタミンC（25ページ）、ビタミンB₁（149ページ）、ビタミンE（25ページ）、カリウム（28ページ）

ガンに効く食べ合わせ

免疫力を高めるビタミンA・C・Eを多く含む緑黄色野菜。腸内環境を整える食べ物をいっしょにとるとよい。

腸内環境を整える食べ物
山いも 96ページ、りんご 100ページ、海藻類 108ページ、きのこ類 109ページ、ヨーグルト 128ページ

- 免疫力
- クエン酸回路
- ミネラルバランス

野菜・いも類・穀類 ● 菜の花／モロヘイヤ

サニーレタス

野菜・いも類・穀類

赤紫の色素には強力な抗酸化作用がある

サニーレタスの基本データ

基本データ
- キク科アキノノゲシ属　旬は春と秋
- エネルギー（100g）･･････16kcal

多く含まれる栄養素
- βカロテン（100g）･･････2000μg
- ビタミンC（100g）･･････17mg
- カリウム（100g）･･････410mg

ガンに効く栄養素
- アントシアニン（152ページ）、ビタミンC（25ページ）、ビタミンE（25ページ）

免疫力／ミネラルバランス

視力回復に役立つアントシアニン

同じレタスでも、結球する玉レタスよりも、葉が開いた葉レタスのほうが栄養成分は豊富です。サニーレタスは昭和40年頃につけられた商品名で葉レタスの一種です。

根に近い部分は緑色ですが、葉先が赤紫色を帯びているのが特徴で、この赤紫色は**アントシアニン**によるものです。

アントシアニンは、植物の葉、花、果実などに含まれる色素成分です。アントシアニンはベリー類に多く含まれる成分で、目に効く栄養素として有名になりました。

人の目の奥にある網膜にはロドプシンという色素体があり、これが光を感知して脳に信号を送っています。アントシアニンはロドプシンの再合成を促進して、視力の回復に役立つとされています。

高血圧や血栓も予防

アントシアニンは強力な抗酸化作用があり、目だけでなく、ガンや老化、いろいろな病気を予防する働きをもっています。高血圧の予防や血液凝固、血栓の生成も抑えると考えられています。

そのほかにも、強い抗酸化作用でガンを予防する**βカロテン**、ビタミンC、ビタミンEなどが豊富です。

体内のミネラルバランスを正常に保ってガンを防ぐカリウムや、骨・歯を丈夫にするカルシウム、鉄欠乏性貧血を予防する鉄、止血作用を示すビタミンKなども含みます。

レタスもいいですが、サニーレタスをぜひ活用しましょう。

ガンに効く食べ合わせ

腸内環境を整える食べ物や、ビタミンB₁を含む食べ物をいっしょにとるとよい。

ビタミンB₁を多く含む食べ物
- 春菊 77ページ、大豆 97ページ、
- 玄米 98ページ、そば 99ページ

アスパラガス

穂先の成分が免疫機能を高め発ガンを抑える

アスパラガスの基本データ

基本データ
- ユリ科アスパラガス属　旬は春
- エネルギー（100g）・・・・・・22kcal

多く含まれる栄養素
- ビタミンC（100g）・・・・・・15mg
- 葉酸（100g）・・・・・・190μg
- βカロテン（100g）・・・・・・370μg

ガンに効く栄養素
- ビタミンC（25ページ）、カリウム（28ページ）、アスパラギン酸（152ページ）、ルチン（157ページ）

緑黄色野菜に分類されています。βカロテンは免疫機能を高め、発ガンを抑え、生活習慣病の予防、老化予防などに働きます。

グリーンアスパラガスとホワイトアスパラガスがあり、ガン予防が期待できる抗酸化成分は、グリーンアスパラガスに多く含まれています。

ンをいっしょにとると抗酸化作用はいちだんと高まります。

ビタミンCが豊富

ビタミンCが豊富に含まれています。βカロテンも比較的多いので、高いガン予防効果が期待できます。体内のミネラルバランスを一定に保ち、ガン予防に役立つカリウムも豊富です。

緑黄色野菜とは100gに含まれるカロテンが600μg以上、もしくはそれ以下でも日常よく利用する野菜をいいます。グリーンアスパラガスは、カロテンの含有量は370μgと比較的少ないのですが、

アスパラギンがイライラや不眠を予防

アスパラガス独特のうま味は、穂先に含まれる**アスパラギン酸**に由来します。アスパラギン酸は疲労回復、皮膚の新陳代謝を高める作用があります。アンモニアを尿とともに排泄させたり、イライラや不眠症を予防したりします。

抗酸化作用の強い**ルチン**も含み、毛細血管を丈夫にして高血圧を予防し、ガン予防も期待できます。ビタミンCとルチン有量は370μgと比較的少ないのですが、

ガンに効く食べ合わせ

βカロテンを多く含む緑黄色野菜や、腸内環境を整える食べ物、ビタミンB₁を含む食べ物をいっしょにとるとよい。

βカロテンを多く含む食べ物
- ブロッコリー（73ページ）、小松菜（76ページ）、春菊（77ページ）、ほうれん草（78ページ）、菜の花（80ページ）

免疫力
ミネラルバランス

野菜・いも類・穀類

にんじん

βカロテンの宝庫 ガン予防の強い味方

にんじんの基本データ

基本データ
- セリ科ニンジン属　　旬は春と秋
- エネルギー（100g）………37kcal

多く含まれる栄養素
- βカロテン（100g）………7700μg
- αカロテン（100g）………2800μg

ガンに効く栄養素
- βカロテン（156ページ）、αカロテン（152ページ）

このガンに効く！
- 胃ガン、肝臓ガン

ガンだとカロテン濃度が低下する

血液中のβカロテン濃度を調べたところ、健康な人が71％だったのに対し、胃ガンの人は66％まで低下していたという報告があります。また、慢性肝炎、肝硬変、肝臓ガンなど肝臓の病気が進行するほど、βカロテンの血中濃度が低くなることもわかっています。

国立病院四国がんセンターで、慢性の肝臓病の患者さんにβカロテンを内服する治療を行ったところ、血中βカロテンの抑制になんらかの効果を果たしている

濃度が上昇し、71％で肝臓ガンの腫瘍マーカーであるαフェトプロテインが低下したといいます。

にんじんジュースがガンを予防

にんじんにはβカロテンだけでなく、抗ガン作用が強いといわれるαカロテンも豊富に含まれています。ガン予防の強い味方といわれ、毎日、にんじんジュースを飲んでいる人は、飲んでいない人に比べるとガンの発生率が低いという報告もあります。

βカロテンもしくはにんじんが、ガン

ことはまちがいないでしょう。

ただし、喫煙している人がビタミンA（βカロテン）のサプリメントを多量にとると、逆に肺ガン発症率が高くなったという実験結果もあります。にんじんそのものをとるようにしましょう。サプリメントではなく、

ガンに効く食べ合わせ

腸内環境を整える食べ物や、ビタミンB₁を含む食べ物をいっしょにとるとよい。

ビタミンB₁を多く含む食べ物
- 春菊　77ページ
- 大豆　97ページ
- 玄米　98ページ
- そば　99ページ

レシピ掲載ページ
41ページ、43ページ、53ページ、65ページ

免疫力

ピーマン

ガン予防のエース ビタミンA・C・Eを含む

免疫力

注目される赤ピーマン

ピーマンには、ガン予防のエース（ACE）と呼ばれる、βカロテン、ビタミンC、ビタミンEが含まれています。

さらに、赤ピーマン（パプリカ）のガン予防効果も注目されています。

赤ピーマン100gあたりのβカロテン含量は**940μg**と、緑ピーマン400μg、黄ピーマン160μgに比べて圧倒的に多くなっています。さらにビタミンCは緑ピーマンの2～3倍、レモン果汁の3倍以上もあります。

カプサンチンが発ガンを抑制

赤ピーマンには**カプサンチン**という、抗ガン作用のある色素成分が含まれています。京都府立医科大学生化学教室が、マウスの皮膚に発ガン物質とカプサンチンを塗る試験を行ったところ、発ガン物質とともにカプサンチンを塗ったマウスでは、**発ガンを強力に抑制する効果**が認められたということです。

ピーマン独特のにおいは、**ピラジン**という成分によるものです。ピラジンは血液の凝固を抑えて血栓を形成しにくくして、心筋梗塞や脳梗塞などを予防する働きが期待できます。

加熱調理してもビタミンCが失われにくいのも、ピーマンの優れた特徴です。

赤ピーマンの基本データ

基本データ	
ナス科トウガラシ属	旬は夏
エネルギー（100g）	30kcal

多く含まれる栄養素	
βカロテン（100g）	940μg
ビタミンC（100g）	170mg
ビタミンE（100g）	4.3g

ガンに効く栄養素
カプサンチン（153ページ）、βカロテン（156ページ）、ビタミンC（25ページ）、ビタミンE（25ページ）

ガンに効く食べ合わせ

腸内環境を整える食べ物や、ビタミンB₁を含む食べ物をいっしょにとるとよい。

腸内環境を整える食べ物
山いも 96ページ、りんご 100ページ、海藻類 108ページ、きのこ類 109ページ、ヨーグルト 128ページ

レシピ掲載ページ
41ページ、49ページ、51ページ

野菜・いも類・穀類

トマト

トマトを食べる人にはガンが少ないという驚きの事実

トマトの摂取量が多いイタリアでは、ほかの地域に比べて**口腔ガン、食道ガン、胃ガン、大腸ガン**になる率が最大60％低く、ハワイではトマト摂取量が多いと胃ガンになる率が低いことがわかっています。ノルウェーではトマトを多くとると**肺ガン**の発症率が低いという研究結果、ハーバード大学の研究ではトマトを多くとるグループはそうでないグループに比べ、**前立腺ガン**にかかる率が低いという結果が出ています。

リコピンが強い抗酸化力を発揮

トマトには、リコピン、βカロテン、ルテイン、ビタミンC、ビタミンEなど多くの抗酸化成分が含まれています。リコピンは体内で発生する活性酸素を除去する強い抗酸化力があり、その作用はβカロテンの2倍、ビタミンEの100倍もあるといわれています。

トマトをよく食べる人は病気（ガン）になりにくいといわれてきましたが、最近の研究でそれが裏づけられています。

トマトジュースがガンを予防

ルテインはリコピンと同じくカロテノイドの一種で、βカロテンよりやや弱く、およそ半分の抗酸化力があります。

リコピンやβカロテンは水に溶けないので吸収率が低く、生で食べるよりはジュースやペーストにしたほうが吸収されやすくなります。トマトジュースは栄養素を効率よくとるには、とてもいい方法といえるでしょう。

トマトの基本データ

基本データ
- ナス科トマト属　　　　　旬は夏
- エネルギー（100g）‥‥‥‥19kcal

多く含まれる栄養素
- βカロテン（100g）‥‥‥‥540μg

ガンに効く栄養素
- リコピン（157ページ）、βカロテン（156ページ）、ルテイン（157ページ）

このガンに効く！
- 口腔ガン、食道ガン、胃ガン、大腸ガン、肺ガン、前立腺ガン

ガンに効く食べ合わせ

βカロテンを多く含む緑黄色野菜や、腸内環境を整える食べ物、ビタミンB$_1$を含む食べ物をいっしょにとるとよい。

βカロテンを多く含む食べ物

ブロッコリー 73ページ 、小松菜 76ページ 、春菊 77ページ 、ほうれん草 78ページ 、菜の花 80ページ

レシピ掲載ページ

41～42ページ、49～50ページ、53ページ、57ページ、66ページ

免疫力

きゅうり

多彩な栄養素が含まれミネラルバランスを整える

きゅうりは95％以上が水分なので栄養がほとんどないといわれていますが、意外にも抗酸化作用の強いβカロテンのほか、さまざまなビタミンやミネラルがバランスよく含まれています。

βカロテンは強い抗酸化力があり、体内の活性酸素を除去し、ガンや生活習慣病、老化を予防します。βカロテンは100g中に330μg。緑黄色野菜に比べると少なめですが含まれています。ガンや老化を予防するほか、免疫力を高め、抗ストレス・抗疲労ビタミンとして働く**ビタミンC**も比較的多いといえるでしょう。

ミネラルバランスを整える

ミネラルバランスを整える**カリウム**も含まれていて、高血圧予防のほか、ガン予防に効果があります。

ほかにも、微量ではありますが、三大栄養素の代謝を円滑にするビタミンB₁・B₂・B₆、ナイアシン、葉酸、パントテン酸などビタミンB群も含まれています。

きゅうりの皮の苦みになっているのは**ククルビタシン**という成分です。これはゴーヤの苦みのもとと同じものです。ククルビタシンのなかには、**抗ガン作用**が強いものもあります。

きゅうりの基本データ

基本データ
- ウリ科キュウリ属　　　　旬は夏
- エネルギー（100g）・・・・・・14kcal

多く含まれる栄養素
- βカロテン（100g）・・・・・・330μg
- ビタミンC（100g）・・・・・・14mg
- カリウム（100g）・・・・・・200mg

ガンに効く栄養素
βカロテン（156ページ）、カリウム（28ページ）、ビタミンB₁（149ページ）、ククルビタシン（154ページ）

ガンに効く食べ合わせ

腸内環境を整える食べ物、ビタミンB₁を含む食べ物をいっしょにとるとよい。

腸内環境を整える食べ物
山いも 96ページ、りんご 100ページ、海藻類 108ページ、きのこ類 109ページ、ヨーグルト 128ページ

- ミネラルバランス
- 免疫力

野菜・いも類・穀類 ●トマト／きゅうり

野菜・いも類・穀類

なす

発ガン抑制効果が実験によって実証された

なすの基本データ

基本データ	
ナス科ナス属　旬は夏から秋にかけて	
エネルギー（100g）	22kcal
多く含まれる栄養素	
カリウム（100g）	220mg
食物繊維（100g）	2.2g
ガンに効く栄養素	
デルフィニジン（152ページ）	

なすの色素に抗酸化作用

独立行政法人食品総合研究所では、なす、ブロッコリー、小松菜、ほうれん草、きゅうり、ピーマン、ごぼう、大根、トマト、玉ねぎ、キャベツ、じゃがいも、にんじん、りんご、はっさく、甘夏と、日常的に食べることの多い野菜や果物16種類を選び、**発ガンを抑制する成分**が含まれているかどうかを調べました。

実験の結果、**すべての野菜**が発ガン物質を抑制することが確認されました。なかでも、なすは82・5％という高い抑制率を示したのです。

視力の回復も助ける

京都府立医科大学の西野輔翼（にしのほよく）教授は、なすの色素の抗酸化作用を研究しています。なすの鮮やかな紫色の正体は、アントシアニンの一種で**デルフィニジン**という色素です。

デルフィニジンの**活性酸素の消去率**を調べたところ、スーパーオキシドラジカルは97％、ハイドロキシラジカルは99・5％と非常に高い結果でした。しかも、**発ガン促進物質を抑制する作用**があることも、マウスを使った実験で確認されました。デルフィニジンには視力の回復を助ける働きも期待できます。

ほかにも、ミネラルバランスを整えるカリウム、骨や歯をつくるカルシウムやマグネシウム、鉄欠乏性貧血を予防する鉄、免疫力を高める亜鉛、銅、マンガンなどがバランスよく含まれています。

ガンに効く食べ合わせ

βカロテンを多く含む緑黄色野菜や、腸内環境を整える食べ物、ビタミンB_1を含む食べ物をいっしょにとるとよい。

βカロテンを多く含む食べ物

ブロッコリー 73ページ、小松菜 76ページ、ほうれん草 78ページ、かぼちゃ 89ページ

レシピ掲載ページ 65ページ

免疫力
ミネラルバランス

第3章 ■ ガンが消える食べ物事典

野菜・いも類・穀類 ●なす／かぼちゃ

かぼちゃ

多彩な栄養成分で免疫力を高める

- 内腸環境
- 免疫力
- クエン酸回路
- ミネラルバランス

豊富なβカロテンでガンを予防

かぼちゃの果肉の黄色はβカロテンとキサントフィルです。

βカロテンは抗酸化成分としてガンに対する抵抗力を高めます。100gあたりのカロテンの含有量は、日本かぼちゃ700μgに対して西洋かぼちゃは3900μgと5倍以上です。予防し、体内でビタミンAに変化して免疫力を高め、やはりガン予防に役立ちます。

キサントフィルはカロテンの仲間で、抗酸化物質としてコレステロールの酸化を抑えて血管を丈夫にします。

ビタミンCも豊富です。抗酸化成分としてガンを予防し、カゼなどの感染症に対する抵抗力を高めます。100gあた

西洋かぼちゃの基本データ

基本データ

ウリ科カボチャ属	旬は秋
エネルギー（100g）	91kcal

多く含まれる栄養素

βカロテン（100g）	3900μg
ビタミンC（100g）	43mg
ビタミンE（100g）	6.3mg
食物繊維（100g）	3.5g

ガンに効く栄養素

βカロテン（156ページ）、キサントフィル（154ページ）、ビタミンC（25ページ）

りのビタミンC含有量は西洋かぼちゃ43mg、日本かぼちゃ16mgです。

野菜には珍しくビタミンEを含む

ビタミンEは脂溶性の抗酸化成分で、体内の細胞膜などの脂質を活性酸素による害から防ぎ、ガンや動脈硬化、心筋梗塞（しんきんこうそく）、脳梗塞などを抑えます。動物性食品には多く含まれますが、ビタミンEを含んでいる野菜は珍しいといえます。

たんぱく質、脂質、糖質の代謝に必要で、クエン酸回路をスムーズに働かせるビタミンB₁も含んでいます。

ナトリウムの排泄を促して血圧を安定させ、体内のミネラルバランスを整えるカリウムも豊富に含んでいます。

ガンに効く食べ合わせ

ビタミンB₁を含む食べ物をいっしょにとるとよい。

ビタミンB₁を多く含む食べ物

| 春菊 77ページ | 大豆 97ページ |
| 玄米 98ページ | そば 99ページ |

レシピ掲載ページ
65ページ

野菜・いも類・穀類

玉ねぎ

免疫力を高める硫化アリルが豊富に含まれている

玉ねぎの基本データ

基本データ
- ユリ科ネギ属　　　　　　　　　旬は春
- エネルギー（100g）･･･････････37kcal

多く含まれる栄養素
- 多価不飽和脂肪酸（100g）････0.03g
- n-6 多価不飽和脂肪酸（100g）　0.02g
- リン（100g）････････････････33mg

ガンに効く栄養素
- 硫化アリル（アリイン・アリシン／157ページ）、ケルセチン（154ページ）

ナチュラルキラー細胞が活性化

栄養成分でもっとも特徴的なのは、豊富に含まれている**硫化アリル**です。

玉ねぎを切ったときに涙が出たり、独特のにおいがするのは、アリインやアリシンなど硫化アリルによります。玉ねぎを切ったりすりおろしたりすると、**アリイン**がアリシンに変化し、空気にふれるとさまざまなイオウ化合物になります。

アリシンは体外から侵入した異物や、体内でつくられたガン細胞を撃退するNK（ナチュラルキラー）細胞の働きを高めます。また、消化管の中でアリインと結合してアリチアミン（アリナミン）に変化し、ガン予防に効くビタミンB₁が体内で効率よく使えるようにします。

動脈硬化や脳梗塞、心筋梗塞も予防

硫化アリルは血液中に血栓ができにくくするとともに、全身の血行をよくする働きもあります。さらに血圧を安定させ、血中のLDL（悪玉コレステロール）を減らしてHDL（善玉コレステロール）を増やす、動脈硬化、脳梗塞、心筋梗塞の予防におすすめの食べ物です。

玉ねぎの皮を煎じて飲むという民間療法があります。玉ねぎの皮の黄色い色は、フラボノイド類の一種である**ケルセチン**です。ケルセチンは強力な抗酸化成分で活性酸素を消去します。また、ケルセチンが**発ガン促進物質を抑制する**ことが、実験で確認されています。

ガンに効く食べ合わせ

βカロテンを多く含む緑黄色野菜や、腸内環境を整える食べ物、ビタミンB₁を含む食べ物をいっしょにとるとよい。

βカロテンを多く含む食べ物
ブロッコリー　73ページ、小松菜　76ページ、ほうれん草　78ページ、かぼちゃ　89ページ

レシピ掲載ページ
49ページ、53ページ、61ページ、66ページ

免疫力

クエン酸回路

第3章 ■ ガンが消える食べ物事典

野菜・いも類・穀類 ● 玉ねぎ／ねぎ

ねぎ

アリシンが免疫力を増強し
ガンはもちろん感染症を予防する

免疫力
クエン酸回路

ガン予防に効く硫化アリル

硫化アリルが豊富に含まれ、独特の香りや辛みのもととなっています。硫化アリルの一種である**アリイン**は、ビタミンB_1と結合して**アリチアミン（アリナミン）**になり、ビタミンB_1が体内で長期間利用できるようにします。ビタミンB_1は不足するとクエン酸回路がスムーズに働かなくなってガンを招きます。

アリシンには、体内に侵入した異物やガン細胞を攻撃するNK（ナチュラルキラー）細胞を活性化する働きがあり、ガン予防効果が期待できます。さらに、血液の凝固を防いで血栓がつくられるのを抑え、動脈硬化、脳梗塞、心筋梗塞を予防します。

鎮痛解熱作用もある

ねぎにはアスピリンと同じような鎮痛解熱作用があることでも知られています。昔から、カゼをひいたときにねぎ湯を飲むといわれてきましたが、理にかなっているといえるでしょう。

抗酸化成分である$β$カロテンとビタミンCも豊富に含まれています。
白い部分が多い長ねぎと、緑色の部分が多い小ねぎとでは含まれる栄養の特徴が異なります。小ねぎは緑黄色野菜ですが、長ねぎは淡色野菜です。小ねぎのほうが栄養素は豊富ですが、長ねぎの白い部分に硫化アリルが含まれています。

小ねぎの基本データ

基本データ
ユリ科ネギ属　　　　　　　　旬は冬
エネルギー（100g）・・・・・・・・27kcal

多く含まれる栄養素
$β$カロテン（100g）・・・・・・・・2200μg
ビタミンC（100g）・・・・・・・・44mg
葉酸（100g）・・・・・・・・・・・120μg

ガンに効く栄養素
硫化アリル（アリイン・アリシン／157ページ）、$β$カロテン（156ページ）、ビタミンC（25ページ）

ガンに効く食べ合わせ

腸内環境を整える食べ物や、ビタミンB_1を含む食べ物をいっしょにとるとよい。長ねぎは$β$カロテンを多く含む緑黄色野菜をいっしょにとるのもおすすめ。

ビタミンB_1を多く含む食べ物
春菊 77ページ、大豆 97ページ、
玄米 98ページ、そば 99ページ

レシピ掲載ページ

43ページ、55ページ、59ページ、67ページ

野菜・いも類・穀類

にら

ガン予防のACEで免疫力を高めてガンを予防する

免疫力 / クエン酸回路 / ミネラルバランス

豊富なカロテンを含む緑黄色野菜

緑黄色野菜のなかでも豊富なβカロテン（100g中3500μg）を含んでいます。βカロテンは強い抗酸化作用があり、免疫力を高め、ガンを予防します。同じく抗酸化作用が高いビタミンCも含みます。

玉ねぎやねぎと同様、**硫化アリルのアリシン**を含んでいます。アリシンはビタミンB₁と結合してB₁を効率よく使えるようにし、クエン酸回路をスムーズに働かせます。血栓を予防し、心筋梗塞（しんきんこうそく）や脳梗塞を抑える作用もあります。

ビタミンEが脂質の酸化を抑える

野菜のなかでは珍しくビタミンEを含みます。ビタミンEは脂溶性の抗酸化ビタミンで、脂質の酸化を防ぎ、過酸化脂質の生成を抑えます。ガンや老化、さまざまな病気を引き起こす過酸化脂質を抑制して、これらを予防します。

体内のミネラルバランスを保ちガン予防に働くカリウム、骨や歯をつくり筋肉や心臓の働きを整えるカルシウム、貧血を予防する鉄も含まれています。ビタミンKのほか、新陳代謝を促し、貧血を予防する葉酸も含まれています。

にらの基本データ

基本データ
- ユリ科ネギ属　旬は冬から春にかけて
- エネルギー（100g）・・・・・・・・21kcal

多く含まれる栄養素
- βカロテン（100g）・・・・・・・3500μg
- ビタミンE（100g）・・・・・・・3.0mg
- カリウム（100g）・・・・・・・510mg

ガンに効く栄養素
硫化アリル（アリシン／157ページ）、βカロテン（156ページ）、ビタミンC（25ページ）、ビタミンE（25ページ）

ガンに効く食べ合わせ

腸内環境を整える食べ物や、ビタミンB₁を含む食べ物をいっしょにとるとよい。

腸内環境を整える食べ物
- 山いも 96ページ
- りんご 100ページ
- 海藻類 108ページ
- きのこ類 109ページ
- ヨーグルト 128ページ

レシピ掲載ページ
51ページ

第3章 ■ ガンが消える食べ物事典

にんにく

デザイナーフーズ・ピラミッドで最上位に位置する

にした調査では、にんにくを週に1回以上食べる人は、食べない人に比べて、大腸ガン発生のリスクが約半分に抑えられていたそうです。

あらゆる成分がガンを抑制する

にんにくのガン予防成分は、独特のにおいのもとであるイオウ化合物の硫化アリル、ミネラルのセレンなどです。にんにくを切ったときにつくられるアホエンもイオウ化合物で、強い抗酸化作用があり、ガンを予防します。にんにくを長期保存したときに内部でつくられる、アリキシンという成分にも発ガン抑制効果があることが認められています。

京都府立医科大学の西野輔翼教授は、マウスに発ガン物質と発ガン促進物質を塗って皮膚ガンを発生させ、にんにくのイオウ化合物を塗ったところ、塗らなかったグループよりも60％強で皮膚ガンの発生が抑えられました。

にんにくを食べるとガンになりにくい

アメリカ国立がん研究所の調査で、ガンを予防する食品（デザイナーフーズ・ピラミッド）の最上位に選ばれました。以前から、にんにくのガン予防効果を示す調査結果が報告されています。アメリカと中国が共同で行った調査では、にんにくの摂取量が増えると胃ガンが減少することがわかりました。イタリアの調査でも同様の結果が示されています。アメリカのアイオワ州の女性を対象

にんにくの基本データ

基本データ	
ユリ科ネギ属	旬は春
エネルギー（100g）	134kcal

多く含まれる栄養素
カリウム（100g）・・・・・・530mg
n-6 多価不飽和脂肪酸（100g） 0.37g
多価不飽和脂肪酸（100g）・・・0.41g

ガンに効く栄養素
硫化アリル（アホエン・アリキシン／157ページ）、セレン（151ページ）

このガンに効く！
胃ガン、大腸ガン、皮膚ガン

野菜・いも類・穀類 ● にら／にんにく

ガンに効く食べ合わせ

腸内環境を整える食べ物や、ビタミンB₁を含む食べ物をいっしょにとるとよい。

ビタミンB₁を多く含む食べ物
春菊 77ページ 、 大豆 97ページ 、
玄米 98ページ 、 そば 99ページ

レシピ掲載ページ
45ページ、53ページ、63ページ、65ページ

クエン酸回路

免疫力

野菜・いも類・穀類

じゃがいも

ガン細胞の増殖を抑制する作用が確認された

じゃがいもの基本データ

基本データ
ナス科ナス属　旬は春から秋にかけて
エネルギー（100g）‥‥‥‥‥76kcal

多く含まれる栄養素
ビタミンC（100g）‥‥‥‥‥35mg
カリウム（100g）‥‥‥‥‥410mg

ガンに効く栄養素
ステロイドアルカロイド配糖体（155ページ）、ビタミンC（25ページ）、カリウム（28ページ）

このガンに効く！
肺ガン、大腸ガン、白血病、乳ガン、胃ガン

クエン酸回路　免疫力　ミネラルバランス

抗ガン作用が実験で確認された

熊本大学薬学部の野原稔弘（のはらとしひろ）教授は、ヒトの肺ガン細胞、大腸ガン細胞、白血病細胞、乳ガン細胞、胃ガン細胞を培養し、そこにじゃがいものステロイドアルカロイド配糖体、抗ガン薬をそれぞれ加えました。その結果、抗ガン薬に比べて中程度の強さで、ガン細胞の増殖を抑えることがわかりました。

また、じゃがいもには100gあたり35mgのビタミンCが含まれています。ビタミンCは活性酸素を無害化してガンを予防します。ビタミンEの酸化を抑制する作用もあります。

ビタミンCが効率よくとれる

ビタミンCは熱に弱く、調理で失われることが多いのですが、じゃがいもに含まれるビタミンCはでんぷんに守られているので、**加熱しても損失が少ない**という優れた特徴があります。

ほかに、ミネラルバランスを整えてガンを予防するカリウム、骨と歯の材料になるカルシウム、血圧や筋肉を調整するマグネシウム、貧血を予防する鉄、免疫機能を高め細胞の新陳代謝を促す亜鉛、たんぱく質・脂質・糖質の代謝をスムーズにする**ビタミンB群**なども含まれています。

ガンに効く食べ合わせ

βカロテンを多く含む緑黄色野菜や、腸内環境を整える食べ物、ビタミンB1を含む食べ物をいっしょにとるとよい。

腸内環境を整える食べ物
りんご　100ページ　　海藻類　108ページ
きのこ類　109ページ
ヨーグルト　128ページ

レシピ掲載ページ
49ページ、53ページ

第3章 ■ ガンが消える食べ物事典

さつまいも

**さつまいもを多く食べたことで
ガン死亡率が低下**

ガングリオシドがガンを抑制

尚絅女子学院短期大学（現・尚絅学院大学）の道岡攻教授は、鹿児島県川内市付近のガンによる死亡率が低いことに注目し、鹿児島県で多く食べられているさつまいもとの関係を調べました。

ヒトの子宮頸部ガン細胞と皮膚ガン細胞を培養し、さつまいものしぼり汁を加えると、ガンの増殖が5分の1以下に抑えられたのです。この研究で、さつまいものしぼり汁に含まれているガングリオシドという物質に、ガン細胞の増殖を抑える作用があることが判明しました。

また、マウスにさつまいものしぼりカスと発ガン物質を与えると、さつまいものしぼりカスが発ガン物質を吸着して排泄させることもわかりました。

ビタミンやミネラルも豊富

さつまいもには抗酸化成分のビタミンCが豊富に含まれており、体内の活性酸素を無害化してガンを予防します。水溶性と不溶性の食物繊維も多く含まれ、便通を改善して大腸ガンをはじめ、腸内の有害物質の排泄を促し、糖尿病、高血圧、脂質異常症も予防します。

クエン酸回路の働きを円滑にするビタミンB₁・B₂・B₆、ナイアシン、葉酸、パントテン酸などのビタミンB群、老化防止とガン予防に効くビタミンE、体内のミネラルバランスを整えるカリウムも含まれています。

さつまいもの基本データ

基本データ
- ヒルガオ科サツマイモ属　旬は秋
- エネルギー（100g）・・・・・・・・132kcal

多く含まれる栄養素
- ビタミンC（100g）・・・・・・・・29mg
- 食物繊維（100g）・・・・・・・・2.3g
- カリウム（100g）・・・・・・・・470mg

ガンに効く栄養素
- ガングリオシド（154ページ）、ビタミンC（25ページ）、ビタミンB₁（149ページ）

このガンに効く！
- 子宮頸部ガン、皮膚ガン、大腸ガン

ガンに効く食べ合わせ

βカロテンを多く含む緑黄色野菜や、ビタミンB₁を含む食物をいっしょにとるとよい。

βカロテンを多く含む食べ物
ブロッコリー 73ページ、小松菜 76ページ、ほうれん草 78ページ、菜の花 80ページ

野菜・いも類・穀類 ● じゃがいも／さつまいも

- 免疫力
- クエン酸回路
- ミネラルバランス
- 腸内環境

野菜・いも類・穀類

山いも

ネバネバ、ヌルヌルのねばりけが免疫力を高める

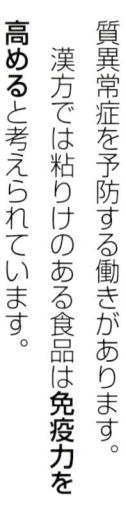

長いもの基本データ

基本データ
ヤマノイモ科ヤマノイモ属　　旬は冬
エネルギー（100g）・・・・・・・・65kcal

多く含まれる栄養素
カリウム（100g）・・・・・・・・430mg
パントテン酸（100g）・・・・・・0.61mg

ガンに効く栄養素
ムチン（157ページ）、カリウム（28ページ）、ビタミンB_1（149ページ）

山いもには、棒のような形をした長いも、手のひら型や扇状になるいちょういも、くねくねと細長い自然薯、握りこぶしのような形をしたやまといも、つくねいもなど、多彩な種類があります。

大根の3倍の消化酵素

山いもの粘り成分はムチンと呼ばれる成分で、食物繊維とたんぱく質が結合したものです。胃粘膜を保護して胃潰瘍を防ぎ、血糖値の上昇を抑えて糖尿病を予防し、コレステロールの排泄を促して脂肪細胞を壊すと作用がいちだんと強まります。

生で食べられる珍しいいも

山いもにはアミラーゼ、オキシダーゼなどの酵素が多く含まれ、アミラーゼは大根の約3倍も含まれています。一般に、いも類は生では食べられませんが、山いもは消化酵素が豊富なので、生で食べることができます。

山いもの消化酵素は加熱しないほうが活性が高く、すったり、切ったりして細胞を壊すと作用がいちだんと強まります。

質異常症を予防する働きがあります。漢方では粘りけのある食品は**免疫力を高める**と考えられています。

山いもをすりおろして食べるととろいもは、理にかなった食べ方です。

ミネラルバランスを改善してガンを予防する**カリウム**、クエン酸回路をスムーズに働かせる、**ビタミンB_1**も含まれています。

ガンに効く食べ合わせ

βカロテンを多く含む緑黄色野菜や、ビタミンCを多く含む食べ物、腸内環境を整える食べ物をいっしょにとるとよい。

ビタミンCを多く含む食べ物
ブロッコリー 73ページ、小松菜 76ページ、レモン 101ページ、いちご 104ページ

レシピ掲載ページ

47ページ、55ページ、61ページ、67ページ

- 免疫力
- クエン酸回路
- ミネラルバランス

大豆

ガン予防効果が数多く報告されている

免疫力

胚軸に強力な発ガン抑制作用

大豆のガン予防効果はこれまで多くの報告があります。国立病院機構西別府病院の財前行宏医師は、**大豆胚軸**（発芽するときに芽になる部分。米の胚芽のようなもの）に、豆の部分よりも強力な発ガン抑制作用があることを確認しました。

ヒトの細胞（リンパ球）を発ガン物質で刺激し、大豆胚軸の抽出液を加えたところ、ガンを引き起こす物質の発生がほぼ抑えられることが確認されました。マウスを使った皮膚ガンの試験では、大豆胚軸の抽出液を投与しないマウスは腫瘍が1匹平均10個出現し、投与したマウスでは平均6個とほぼ半減しました。

また、発ガンしたラットのエサに大豆胚軸を混ぜる試験では、18週目に腫瘍がカゼイン（牛乳に含まれるたんぱく質）で4割、大豆たんぱくで3割に現れたのに対し、大豆胚軸を加えたラットでは1割程度にとどまり、ガンの発生を遅らせることが認められました。

大豆（ゆで）の基本データ

基本データ
マメ科ダイズ属	旬は秋
エネルギー（100g）	180kcal

多く含まれる栄養素
たんぱく質（100g）	16g
多価不飽和脂肪酸（100g）	4.93g
一価不飽和脂肪酸（100g）	1.73g

ガンに効く栄養素
イソフラボン（152ページ）、オリゴ糖（153ページ）

このガンに効く！
皮膚ガン

イソフラボンが抗ガン作用を発揮

大豆胚軸の主なガン予防成分はイソフラボンです。イソフラボンとは植物性の女性ホルモン様成分で、抗ガン作用、抗酸化作用があることが確認されています。

大豆胚軸にはそのほかに、動脈硬化を予防するサポニン、腸内細菌を整えるオリゴ糖、ビタミンEが含まれています。

大豆胚軸そのものは入手しにくいですが、丸大豆をそのまま食べると大豆胚軸もいっしょにとれます。

大豆そのものは消化しにくく腸に負担がかかるので、**豆腐、納豆**などでとるのもおすすめです。

ガンに効く食べ合わせ

βカロテンを多く含む緑黄色野菜や、ビタミンCを多く含む食べ物、腸内環境を整える食べ物、ビタミンB_1を含む食べ物をいっしょにとるとよい。

βカロテンを多く含む食べ物
ブロッコリー 73ページ、小松菜 76ページ、ほうれん草 78ページ、かぼちゃ 89ページ

レシピ掲載ページ
43ページ、46ページ、61ページ、66～67ページ、69ページ

野菜・いも類・穀類 ●山いも／大豆

野菜・いも類・穀類

玄米

フィチン酸に備わる強力な抗酸化作用

玄米（ごはん）の基本データ

基本データ	
イネ科イネ属	旬は秋
エネルギー（100g）	165kcal
多く含まれる栄養素	
ビタミンE（100g）	0.6mg
ビタミンB₁（100g）	0.16mg
食物繊維（100g）	1.4g
ガンに効く栄養素	
ビタミンB₁（149ページ）、フィチン酸（156ページ）	
このガンに効く！	
大腸ガン、乳ガン、前立腺ガン、肝臓ガン	

酸）です。強い抗酸化作用があり、長期間放置していても腐りません。植物の種子が何年たっても発芽できるのは、フィチン酸によると推測されています。

さまざまなガンを抑える

アメリカの疫学調査では、フィチン酸の多い穀類中心の食事をしている人は**大腸ガン**の発生率が極端に少ないことがわかりました。アメリカのメリーランド大学のシャムスティン教授が、ラットに発ガン剤とフィチン酸を投与する実験を6カ月間行ったところ、発ガン剤だけ与えられたラットのガン発生数は1匹あたり4.6個、発ガン剤とフィチン酸を投与したラットは3.0個、ガンの大きさも約3分の2と小さいものでした。ほかに**乳ガン、前立腺ガン、肝臓ガン**などの実験が行われ、ガンの発生が抑えられたそうです。東京大学の石川隆俊教授は、マウスの背中に発ガン物質を塗って皮膚ガンを発生させ、実験開始から3週間後にフィチン酸を飲ませる実験を行いました。結果は、フィチン酸を飲ませたマウスは、飲ませなかったマウスに比べてガンの発生数が半分に抑えられました。さまざまな研究で、血液の循環をよくする、免疫力を高める、ガンを予防するなどが報告されています。

米ぬか成分がNK細胞を増殖

NK（ナチュラルキラー）細胞を増殖させ、ガン予防に効くサプリメントの**アラビノキシラン**は、玄米の米ぬか由来のヘミセルロースを発酵させたものです。玄米にはクエン酸回路を円滑に働かせる**ビタミンB₁**が多く含まれ、ガン予防に効きます。抗酸化成分のビタミンE、セレンも含まれています。特に注目されているのが、米ぬかに含まれる**フィチン酸**（イノシトール6リン

ガンに効く食べ合わせ

βカロテンを多く含む緑黄色野菜や、ビタミンCを多く含む食べ物、腸内環境を整える食べ物、ミネラルバランスを整える食べ物をいっしょにとるとよい。

βカロテンを多く含む食べ物
ブロッコリー 73ページ、小松菜 76ページ、ほうれん草 78ページ、かぼちゃ 89ページ

レシピ掲載ページ

43ページ、49ページ、53～54ページ、58～59ページ、65ページ、67ページ

免疫力

クエン酸回路

そば

そばのポリフェノールがガンを予防する

ガン細胞の自滅を誘導

株式会社アミノアップ化学の孫歩祥（そんほしょう）氏の研究によって、そばに含まれるポリフェノールには強力な抗酸化作用があり、ガンの発生や成長を抑制する効果があることが確認されました。

研究では、マウスに発ガン誘因物質と発ガン促進物質を与え、肝臓ガンを誘発したマウスを4群に分け、それぞれ飲料水にそばのポリフェノールを加える（①）、免疫療法剤を加える（②）、そばのポリフェノールと免疫療法剤を加える（③）、何も投与しない（④）で7カ月間飼育しました。

実験の結果、④のグループではすべてのマウスにガンが見られましたが、①～③のグループでは10～30%抑制されていたことが確認できました。肺への転移は④では100%確認され、③では70%以上の抑制率を示しました。

このことから、そばのポリフェノールがガン細胞の自滅（アポトーシス）を招き、肝臓が異物を処理する機能を高めたのではないかと推察されています。

抗酸化作用の強いルチンを含む

そばには**ルチン**という抗酸化成分も含まれています。ルチンは水に溶ける性質があり、そばをゆでたそば湯に溶け出しています。そばを食べたあとにそば湯を飲むと、そばのポリフェノールやルチンを効率よくとることができます。

干しそば（ゆで）の基本データ

基本データ
- タデ科ソバ属　　　　　　　　旬は秋
- エネルギー（100g）………114kcal

多く含まれる栄養素
- 食物繊維（100g）…………1.5g

ガンに効く栄養素
- ルチン（157ページ）

このガンに効く！
- 肝臓ガン

ガンに効く食べ合わせ

βカロテンを多く含む緑黄色野菜や、ビタミンCを多く含む食べ物、ミネラルバランスを整える食べ物、ビタミンB₁を含む食べ物をいっしょにとるとよい。

ビタミンCを多く含む食べ物
- ブロッコリー（73ページ）
- 小松菜（76ページ）
- レモン（101ページ）
- いちご（104ページ）

レシピ掲載ページ → 47ページ

野菜・いも類・穀類●玄米／そば

免疫力／腸内環境

果物

りんご

豊富な食物繊維と
ポリフェノールを含む万能果物

免疫力
腸内環境

りんごの基本データ

基本データ	
バラ科リンゴ属	旬は秋から冬にかけて
エネルギー（100g）	54kcal
多く含まれる栄養素	
食物繊維（100g）	1.5g
n-6多価不飽和脂肪酸（100g）	0.02g
多価不飽和脂肪酸（100g）	0.02g
ガンに効く栄養素	
リンゴペクチン（156ページ）	
このガンに効く！	
大腸ガン	

食物繊維がガンを抑制

りんごの食物繊維であるリンゴペクチンにガン抑制効果があることが、富山医科薬科大学医学部の田澤賢次教授によって確認されました。田澤教授は60匹のマウスを3つのグループに分け、A群には普通のエサ、B群にはエサに10％のリンゴペクチンを混ぜ、C群にはエサに20％のリンゴペクチンを混ぜてそれぞれ与え、毎週1回、11週間にわたって大腸ガンを誘発する物質を注射し、30週後にガンができているかどうかを調べました。

実験の結果、A群ではすべてに大腸ガンができ、B群では70％、C群では45％にとどまりました。1匹あたりのガンの平均個数は、A群は3.2個、B群は1.9個、C群は1.8個、ガン1個あたりの平均体積を調べると、C群はA群の約8分の1でした。

これにより、りんごにガン抑制効果があるという結果が得られたのです。その後の研究で、リンゴペクチンには、活性酸素を効率よく消去する働きがあることもわかりました。

肝臓への転移も抑制

ガンの肝臓への転移を調べる別の実験では、リンゴペクチンを与えなかったラット（A群）と与えたラット（B群）で、A群は93・3％に肝臓への転移が起こり、B群では53・9％にしか起こりませんでした。ガンの発生だけでなく、肝臓への転移も抑えることがわかりました。

ほかに、りんごにはケルセチン、アントシアニンなどのポリフェノールが含まれて抗酸化作用を発揮します。ビタミンやミネラルも豊富に含まれています。

ガンに効く食べ合わせ

βカロテンを多く含む緑黄色野菜や、ビタミンCを多く含む食べ物、ビタミンB₁を含む食べ物をいっしょにとるとよい。

βカロテンを多く含む食べ物

ブロッコリー 73ページ、小松菜 76ページ、ほうれん草 78ページ、かぼちゃ 89ページ

レシピ掲載ページ 40～41ページ

第3章 ガンが消える食べ物事典

レモン

ビタミンC、クエン酸、ポリフェノールがガンを抑制

レモン（果汁）の基本データ

基本データ	
ミカン科ミカン属	旬は冬
エネルギー（100g）	26kcal
多く含まれる栄養素	
ビタミンC（100g）	50mg
多価不飽和脂肪酸（100g）	0.03g
ガンに効く栄養素	
ビタミンC（25ページ）、クエン酸（154ページ）、ヘスペリジン（156ページ）	

防いだり、アレルギーを予防したり、ガンを抑えたりすると考えられています。

焼け焦げによる活性酸素が消えた

科学技術庁（現・文部科学省）と山形県企業振興公社が行った研究プロジェクトでは、レモンが活性酸素の害を消去することが明らかにされました。

活性酸素の一種であるフリーラジカルはガンや動脈硬化をはじめいろいろな病気、老化に関係しています。焼いた鮭の皮のフリーラジカルを測定すると、焦げていないところにはほとんどありませんでしたが、焦げた部分には多量にありました。そこに、レモン汁をかけるとフリーラジカルがなくなっていたのです。焼き魚に、レモンのスライスが添えられていることがあります。見た目をよくするための添え物のように考えられがちですが、焼き魚にレモンのしぼり汁をかけて食べるのは、活性酸素を消去し、ガ

免疫力を高め疲労物質を分解

レモンに含まれる抗酸化成分は、ビタミンC、クエン酸、ポリフェノール類などです。ビタミンCは免疫力を高め、ガンを予防します。**クエン酸**はレモンの酸味のもとになっている成分ですが、抗酸化作用があるうえ、クエン酸回路の働きをスムーズにしてガンを予防します。

レモンのポリフェノールで注目されているのは**ヘスペリジン**で、血管を丈夫にしたり、コレステロールや血圧の上昇

ンを予防する効果もあります。理にかなった食べ方といえます。

ガンに効く食べ合わせ

βカロテンを多く含む緑黄色野菜や、腸内環境を整える食べ物、ビタミンB₁を含む食べ物をいっしょにとるとよい。

腸内環境を整える食べ物
山いも 96ページ 、 りんご 100ページ 、
海藻類 108ページ 、 きのこ類 109ページ 、 ヨーグルト 128ページ

レシピ掲載ページ
40～41ページ、49ページ、57ページ

免疫力

クエン酸回路

果物

みかん

βカロテンの5倍のガン抑制効果
βクリプトキサンチンを含む

温州みかんの基本データ

基本データ	
ミカン科ミカン属	旬は冬
エネルギー（100g）	46kcal
多く含まれる栄養素	
βカロテン（100g）	180μg
ビタミンC（100g）	32mg
βクリプトキサンチン（100g）	1700μg
ガンに効く栄養素	
βクリプトキサンチン（156ページ）	
このガンに効く！	
皮膚ガン、大腸ガン、肺ガン	

1日1～2個で血中濃度が高くなる

マウスを使った実験（発ガン物質を背中に塗った30匹のマウスを2群に分け、一方の群には発ガン物質を塗ったところに、週2回βクリプトキサンチンを塗ることを、14週間続けた）では、βクリプトキサンチンを塗らなかったグループとガンの数を比べると、塗ったグループのガンの発生数は約3分の1でした。

その後の研究で、**皮膚ガン**のほかに**大腸ガンと肺ガン**にも予防効果があることも明らかにされています。

βクリプトキサンチンは非常に吸収されやすく、みかんを1日に1～2個食べただけで、血液中の濃度は十分高くなります。

また、旬である冬の時期にたくさんのみかんを食べると、βクリプトキサンチンが**皮膚に蓄積**され、みかんをあまり食べない夏場にも、血中濃度を高く保つことができることも判明しています。

みかんの色素成分が発ガンを抑制

農林水産省、京都府立医科大学、京都大学、近畿大学の共同研究グループは、**柑橘類**に含まれるどの成分が発ガンを予防するかを調べました。その結果、**みかんやオレンジ**に含まれるオレンジ色の色素、**βクリプトキサンチン**に高い発ガン抑制効果があることが確認されました。

まず、細胞に発ガン物質を投与し、細胞がガンに変化するのをどの程度抑えられるかを調べました。βクリプトキサン

チンは、ほかのカロテン類に比べ圧倒的な効果を現したのです。なんと、βカロテンの約5倍という結果でした。

ガンに効く食べ合わせ

βカロテンを多く含む緑黄色野菜や、腸内環境を整える食べ物、ビタミンB₁を含む食べ物をいっしょにとるとよい。

腸内環境を整える食べ物

かぼちゃ	89ページ	山いも	96ページ
海藻類	108ページ	きのこ類	109ページ
ヨーグルト	128ページ		

レシピ掲載ページ
41ページ、47ページ

免疫力

バナナ

免疫力を強化してガンを予防する

果物●みかん／バナナ

免疫力 **腸内環境**

免疫細胞が活性化する

バナナに免疫力を高めてガンを予防する効果があることが、帝京大学薬学部の山崎正利教授の研究でわかりました。

マウスに死んだ溶連菌を投与すると、異物を攻撃しようとして、白血球のマクロファージの活性が高まります。その指標になるのがTNF（腫瘍壊死因子）です。マウスにバナナをすりつぶした上澄液を注射したところ、TNFが高くなりました。同時に、白血球の好中球（異物を攻撃する免疫細胞）についても同様の実験を行いました。すると、生理食塩水を与えたマウスの、好中球の集積作用は3％でしたが、バナナなど果物を与えたマウスでは20～49％にもなりました。

ほかにも、ガン細胞を移植したマウスに乾燥バナナを混ぜたエサを与えたところ、乾燥バナナを食べなかったマウスに比べ、腫瘍の重さが15％少なかったという実験結果があります。

よく熟したものほど効果が高い

バナナにはカリウム、カルシウム、マグネシウム、カロテン、ビタミンB₁、ビタミンC、食物繊維などが含まれています。ただ、免疫力を高めてガンを予防するのが、どの成分の働きによるのかはまだわかっていません。

バナナは黒い斑点（シュガースポット）が出て、よく熟したものほど好中球を活性化させることがわかっています。

バナナの基本データ

基本データ	
バショウ科バショウ属	旬は特になし
エネルギー（100g）	86kcal
多く含まれる栄養素	
食物繊維（100g）	1.1g
βカロテン（100g）	42μg
ビタミンB₆（100g）	0.38mg
ガンに効く栄養素	
免疫力を高めることはわかっているが、どの成分かは不明	

ガンに効く食べ合わせ

βカロテンを多く含む緑黄色野菜や、ビタミンCを多く含む食べ物、ビタミンB₁を含む食べ物をいっしょにとるとよい。

βカロテンを多く含む食べ物
ブロッコリー 73ページ、小松菜 76ページ、ほうれん草 78ページ、かぼちゃ 89ページ

レシピ掲載ページ
58ページ、63ページ

果物

ベリー類
強力な抗酸化成分が豊富に含まれている

ベリー類の基本データ

基本データ

いちご	バラ科オランダイチゴ属　旬は春
ブルーベリー	ツツジ科スノキ属　旬は夏
ぶどう	ブドウ科ブドウ属　旬は秋

エネルギー（100g）
- いちご･････････････34kcal
- ブルーベリー･･････49kcal
- ぶどう････････････59kcal

多く含まれる栄養素

いちご
- ビタミンC（100g）･･････62mg

ブルーベリー
- マンガン（100g）･･････0.26mg
- βカロテン（100g）･･････55μg
- 食物繊維（100g）･･････3.3g

ガンに効く栄養素

ビタミンC（25ページ）、ペクチン（156ページ）、アントシアニン（152ページ）、レスベラトロール（157ページ）

このガンに効く！

大腸ガン、白血病

ガンだけでなく老化や病気も予防

いちご、ぶどう、ブルーベリーなどベリー類はガン予防効果の高い果物といわれています。

ベリー類の代表格であるいちごは、強い抗酸化成分であるビタミンCを豊富に含み、免疫力を高めてガンや老化を予防します。クエン酸回路をスムーズに働かせるために不可欠なビタミンB1、体内のミネラルバランスを整えるカリウムも含まれています。

さらに、ペクチンという食物繊維が豊富なので、腸内の善玉菌を増やして便通をよくし、大腸ガンの予防も期待できます。後述するベリー類の実験でも、いちごの抗酸化作用とガン予防効果が確かめられています。

紫色をしたぶどうの皮には、ポリフェノールのひとつであるアントシアニンが多く含まれ、活性酸素を無害化し、血管を広げて血液循環をよくします。高脂質な食事を好むフランス人に心筋梗塞が少ないのは、アントシアニンを豊富に含む赤ワインをたくさん飲むからという説が有名です。

ポリフェノールが豊富なベリー類

ベリー類には、ほかにも抗酸化作用の高いポリフェノールが豊富に含まれています。ぶどうには高血圧予防に効くケルセチンや、ガンを予防する効果が非常に強いレスベラトロールが含まれています。アメリカのイリノイ大学の研究グループは、ぶどうのレスベラトロールは発ガンを抑制すると報告しています。

いちご

第3章 ガンが消える食べ物事典

果物●ベリー類

ぶどうのポリフェノールは、脳血管障害の予防にも役立ちます。老化で避けられない認知症は、脳の神経細胞が活性酸素による酸化や、血液循環が悪くなって起こる脳血管障害によるものが大半を占めています。ぶどうのポリフェノールには抗酸化作用、抗血栓作用、血行促進作用があり、脳血管系の認知症を予防する効果が期待できます。

さらに、ぶどうのポリフェノールによるアレルギー性の鼻炎や皮膚炎、ぜんそくなどの抑制効果も期待されています。

ブルーベリーには、前述した色素成分の**アントシアニン**が豊富に含まれています。ブルーベリーの抗酸化作用は非常に高く、アメリカでは非常に注目されています。ガンや心臓病などを予防します。

活性酸素の除去とガン抑制効果を確認

独立行政法人食品総合研究所の小堀真珠子（こぼりますこ）氏はブルーベリー、いちごなど10種のベリー類の総ポリフェノール量や、活性酸素を消去する働きを測定しました。

その結果、アントシアニン量に関係なく、**総ポリフェノール**量が多いものは活性酸素を消去する働きが高いことがわかったのです。ブルーベリーもいちごも総ポリフェノールを豊富に含んでいることが確認されました。

また、**白血病細胞**と**大腸ガン細胞**に、それぞれのベリー類の成分を加えたところ、すべてのベリー類でガン細胞の増殖を抑制する効果が認められたそうです。

ぶどう

ブルーベリー

ガンに効く食べ合わせ

βカロテンを多く含む緑黄色野菜や、ミネラルバランスを整える食べ物、ビタミンB₁を含む食べ物をいっしょにとるとよい。

βカロテンを多く含む食べ物
ブロッコリー 73ページ 、小松菜 76ページ 、ほうれん草 78ページ 、かぼちゃ 89ページ

レシピ掲載ページ
41ページ、58ページ、67ページ

果物

プルーン

強力な抗酸化作用をもつミラクルフルーツ

プルーンの基本データ

基本データ	
バラ科サクラ属	旬は夏
エネルギー（100g）	49kcal
多く含まれる栄養素	
βカロテン（100g）	450μg
βクリプトキサンチン（100g）	54μg
カリウム（100g）	220mg
ガンに効く栄養素	
アントシアニン（152ページ）、クロロゲン酸（154ページ）、βカロテン（156ページ）、ビタミンC（25ページ）	

免疫力 / ミネラルバランス / 腸内環境

色素成分に抗酸化作用がある

プルーンはすももの一種です。生の状態での栄養素は標準的な果物ですが、ドライフルーツやペースト状にしたものは、抗酸化成分の宝庫で、英語では「ミラクルフルーツ」と呼ばれています。

プルーンの濃い紅色は強力な抗酸化作用があるアントシアニンです。アントシアニンには活性酸素を無毒化してガンを予防する作用があることが、さまざまな研究で明らかにされています。

アメリカ農務省タフツ老化研究所の研究では、多くの野菜、果物、豆類のなかでプルーンの抗酸化作用がもっとも高いと証明されました。

アントシアニンのほかに、クロロゲン酸など、未知の抗酸化成分が含まれていると考えられています。

免疫力が高まり便通も改善

ビタミンC、ビタミンEのほか、クエン酸回路をスムーズに働かせるビタミンB₁も含まれ、ガンを予防します。

ほかにも、体内のミネラルバランスを整えるカリウム、骨や歯をつくるカルシウム、心臓や筋肉の働きをコントロールするマグネシウム、貧血を予防する鉄、免疫力を高める亜鉛、神経の伝達や代謝をスムーズにするマンガンなど、豊富なミネラルが含まれています。

また、プルーンに含まれているソルビトールという糖類には整腸作用があり、便通が改善されます。

ガンに効く食べ合わせ

βカロテンを多く含む緑黄色野菜や、ビタミンCを多く含む食べ物、ビタミンB₁を含む食べ物をいっしょにとるとよい。

βカロテンを多く含む野菜

ブロッコリー 73ページ、小松菜 76ページ、ほうれん草 78ページ、かぼちゃ 89ページ

レシピ掲載ページ
42ページ

パパイア

イオウ化合物が強力にガンを予防

発ガン物質を解毒する酵素を活性化してガンを抑制する

ミネラルバランス
クエン酸回路
免疫力

体内には発ガン物質を無毒化する酵素が備わっています。そのため、**体内の酵素活性**を高くしておけば、ガンを予防できるのではないかと考えられています。

名古屋大学大学院生命農学研究科の中村宜督（むらよしまさ）助手の研究グループが、17種類の果物から抽出したエキスをラットの肝細胞に投与し、**解毒酵素を活性化する働き**を調べたところ、17種類のなかで、解毒酵素を活性化する力がもっとも強かったのはパパイアでした。

パパイアに含まれる成分を調べてみると、**イソチオシアネート**が解毒酵素を活性化していることがわかりました。イソチオシアネートはアブラナ科の野菜に含まれているイオウ化合物です。これまでの研究で、タバコの煙に含まれる発ガン物質による**肺ガン、肝臓ガン、胃ガン**、大腸ガンに対して予防効果があることが確認されています。

βカロテンやリコピンが豊富

そのほかにも、強い抗酸化作用を発揮する**βカロテン**、クエン酸回路をスムーズに働かせる**ビタミンB₁**、免疫力を高めるビタミンC、体内のミネラルバランスを整えるカリウムなどが含まれます。

黄色いパパイアには**カロテン**、オレンジ色のものには**リコピン**が多いといわれます。リコピンはトマトに豊富に含まれている強力な抗酸化成分で、老化やガンなど、さまざまな病気を予防します。

パパイアの基本データ

基本データ
- パパイア科パパイア属　　旬は夏
- エネルギー（100g）・・・・・・・・38kcal

多く含まれる栄養素
- βカロテン（100g）・・・・・・・・67μg
- βクリプトキサンチン（100g）820μg
- ビタミンC（100g）・・・・・・・・50mg

ガンに効く栄養素
- イソチオシアネート（152ページ）、リコピン（157ページ）

このガンに効く！
- 肺ガン、肝臓ガン、胃ガン、大腸ガン

ガンに効く食べ合わせ

βカロテンを多く含む緑黄色野菜や、ミネラルバランスを整える食べ物、腸内環境を整える食べ物、ビタミンB₁を含む食べ物をいっしょにとるとよい。

腸内環境を整える食べ物
- 山いも　96ページ、りんご　100ページ、海藻類　108ページ、きのこ類　109ページ、ヨーグルト　128ページ

海藻類・きのこ類

海藻類

色素成分とぬめり成分がガンを抑制する

海藻類の基本データ

基本データ

昆布	コンブ科コンブ属	旬は夏
わかめ	アイヌワカメ科ワカメ属	
もずく	モズク科モズク属	
		旬は春から夏にかけて

エネルギー（100g）

昆布（素干し）	145kcal
わかめ（素干し）	117kcal
もずく（塩蔵）	4kcal

多く含まれる栄養素

カリウム（昆布／100g）	6100mg
カルシウム（わかめ／100g）	780mg
βカロテン（わかめ／100g）	7700μg

ガンに効く栄養素

フコキサンチン（156ページ）、フコイダン（156ページ）、βカロテン（156ページ）

このガンに効く！

皮膚ガン、十二指腸ガン、神経芽細胞腫

皮膚や十二指腸のガンを抑制

海藻類で注目されているのは、フコキサンチンとフコイダンです。

フコキサンチンは海藻類の黒い色のもととなる色素成分です。

京都府立医科大学の西野輔翼教授は、マウスの実験でフコキサンチンの強力な**発ガン抑制効果**を確認しました。背中に**皮膚ガン**を発生させた30匹のマウスを2群に分け、一方には腫瘍増殖促進物質とアセトンに溶かしたフコキサンチンを塗り（A群）、もう一方にはアセトンだけを塗りました（B群）。20週間後、B群の15匹のうち8匹に平均2.2個の皮膚ガンが発生し、A群ではまったくできませんでした。

十二指腸ガンや、ヒトの**神経芽細胞腫**を使った実験でも、フコキサンチンを投与すると、ガンの発生や神経芽細胞腫の増殖が抑えられたそうです。

ぬめり成分がガン細胞の自滅を誘導

フコイダンは海藻類の表面にあるぬめり成分です。NK細胞を活性化する働きがあるとされ、免疫を高める効果が期待されています。これまでの実験では、フコイダンはガン細胞を細胞の自滅（アポトーシス）に誘導する作用があると考えられています。

海藻類にはこのほかにもβカロテン、ビタミンC、ビタミンEなどのガン予防に役立つ抗酸化成分や、食物繊維、ミネラルが豊富に含まれています。

ガンに効く食べ合わせ

βカロテンを多く含む緑黄色野菜や、ビタミンCを多く含む食べ物、ビタミンB₁を含む食べ物をいっしょにとるとよい。

ビタミンCを多く含む食べ物

ブロッコリー 73ページ、小松菜 76ページ、レモン 101ページ、いちご 104ページ

レシピ掲載ページ

57ページ、59ページ、61ページ、67ページ

わかめ
昆布
もずく

免疫力
ミネラルバランス
腸内環境

第3章 ■ ガンが消える食べ物事典

きのこ類

ガンの予防効果が
ぞくぞくと確認されている

免疫力
腸内環境

しいたけ

まいたけ

きのこ類の基本データ

基本データ
まいたけ　タコウキン科マイタケ属、ぶなしめじ　キシメジ科シロタモギタケ属、しいたけ　オチバタケ科シイタケ属　旬は秋
エネルギー（100g）
まいたけ ・・・・・・・・・・・・・・・・・・・・・・・・ 16kcal
ぶなしめじ ・・・・・・・・・・・・・・・・・・・・・・ 18kcal
しいたけ ・・・・・・・・・・・・・・・・・・・・・・・・ 18kcal

多く含まれる栄養素
ビタミンC（しいたけ／100g）・・・・10mg
食物繊維（ぶなしめじ／100g）・・・・・3.7g

ガンに効く栄養素
MDフラクション（まいたけ／153ページ）、
レンチナン（しいたけ／157ページ）

このガンに効く！
肺ガン、乳ガン、肝臓ガン

抗ガン剤よりも強い効果を示す

きのこ類のガン予防効果に関しては着々と研究が進められています。神戸薬科大学の難波宏彰教授はまいたけから、強い抗ガン作用があるMDフラクションという物質を発見しました。マウスの実験では、MDフラクションは抗ガン剤よりも強いガン抑制効果が認められ、抗ガン剤と併用するとより高い効果が得られました。ヒトの試験でも、ガンの転移を抑制し、肺ガン、乳ガン、肝臓ガンが小さくなることが確認されています。

また、日本統合医学研究会の池川哲郎常任理事は、ぶなしめじとなめこのガン予防効果を動物実験で実証し、ぶなしめじの成分には免疫増強作用や抗酸化作用があることを明らかにしました。なめこ、

えのきたけ、ぶなしめじを食べてもらったところ、血流を改善する効果があったそうです。

食べるだけでガン予防!?

しいたけに含まれるレンチナンという成分はガン治療薬として実用されています。群馬大学医学部教授の倉茂達徳教授はマウスを使った実験で、しいたけをそのまま食べても免疫力を高め、ガン予防効果が得られることを確認しました。近畿大学大学院応用生命化学科の河村幸雄教授は、まつたけに含まれるMAP（まつたけ抗腫瘍たんぱく質）が、ガン細胞だけを選んで攻撃する性質をもっていることをつきとめました。

ガンに効く食べ合わせ

βカロテンを多く含む緑黄色野菜や、ビタミンCを多く含む食べ物、ビタミンB₁を含む食べ物をいっしょにとるとよい。

βカロテンを多く含む食べ物
ブロッコリー 73ページ、小松菜 76ページ、ほうれん草 78ページ、かぼちゃ 89ページ

レシピ掲載ページ
49ページ、51ページ、57ページ、63ページ、69ページ

海藻類・きのこ類　●海藻類／きのこ類

香辛料・飲み物

ハーブ

料理の彩りとなるハーブは強力なガン予防食品

ハーブの基本データ

基本データ
- しそ　　　シソ科シソ属
- バジル　　シソ科メボウキ属
- 旬は夏

エネルギー（100g）
- しそ　　　　　　　　　　37kcal
- バジル　　　　　　　　　24kcal

多く含まれる栄養素
- βカロテン（しそ／100g）・・・11000μg
- βカロテン（バジル／100g）・・6300μg
- ビタミンK（バジル／100g）・・440μg

ガンに効く栄養素
βカロテン(156ページ)、テルペン類(155ページ)、オレアノール酸（153ページ）

このガンに効く！
皮膚ガン

シソ科のハーブは特に強力

アメリカ国立がん研究所が発表した「デザイナーフーズ・ピラミッド」には、ガン予防効果のある食品、約40種類が掲載されました。そのなかには**バジル、オレガノ、タイム、ローズマリー、セージ、ミント**などのハーブ類もリストアップされています。

料理の彩りに添えたり、香りづけに使われたりするハーブですが、実はその香り成分に活性酸素を除去し、ガンを予防する効果があると考えられています。

なかでも、**シソ科のハーブはガン予防効果が強い**とされ、前述した6種類はいずれもシソ科のハーブの代表的な存在です。日本の香辛料（ハーブ）であるしそもシソ科に属しています。**パセリ**もハーブの一種です。

こんな実験結果があります。

リンパ組織のガンを引き起こすEBウイルスに感染したヒトBリンパ球に**ハーブの抽出液**を与えると、与えない場合に比べて**ウイルスの活性が低下する**そうです。このガン抑制作用はハーブに含まれる**香り成分（テルペン類）**によるものと考えられ、テルペン類にはシクロオキシゲナーゼ2（COX2）という酵素を阻害する作用があります。COX2は体内で炎症を進め、ガンを発生させると考えられています。テルペン類のCOX2を抑制する作用が、ガンを予防するのではないかと期待されています。

京都府立医科大学の西野輔翼教授は、

110

第3章 ■ ガンが消える食べ物事典

香辛料・飲み物●ハーブ

医学の父ヒポクラテスも使用した

しそに含まれるテルペン類（オレアノール酸）を使う実験を行いました。オレアノール酸を塗ったマウスは、皮膚ガンの発生率も腫瘍の数も抑えられたそうです。入るとアリルイソチオシアネートという抗酸化成分に変化して、免疫力を高めてガンを予防します。

タラゴンはヨモギの仲間です。医学の父といわれるヒポクラテスは、蛇や狂犬に噛まれた傷の毒出しにタラゴンを使ったと伝えられています。

オランダ（アメリカ）ボウフウとも呼ばれる**パースニップ**は、抗酸化成分のβカロテン、ビタミンCを含み、ガン、生活習慣病、老化などを予防します。

香菜は中国では**シャンツァイ**、タイでは**パクチー**、欧米では**コリアンダー**と呼ばれるハーブで、豊富なβカロテンとビタミンCを含みます。解毒作用が強く、体内に有害物質がたまるのを防ぎ、ガンを予防するといわれています。

ターメリックはカレーなどに使われるスパイスで、黄色い色素成分の**クルクミン**のことです（詳細は115ページ）。

漢方の生薬としても活躍

甘草（かんぞう）は日本のハーブですが、古くから漢方の生薬として解毒、鎮痛、鎮咳（ちんがい）、去痰（きょたん）、胃・十二指腸潰瘍（じゅうにしちょうかいよう）、のどの痛み、腹痛、下痢の解消に用いられています。グリチルリチン、サポニン、エストロゲン類似物質、**クマリン**、フラボノイド、コリン、アスパラギンなど多くの薬効成分が含まれていて、ガン予防にも有効と考えられています。

しそ科以外のハーブにも、強い抗酸化力やガン予防効果があり、アメリカ国立がん研究所のデザイナーフーズ・ピラミッドにも紹介されています。

クレソンは抗酸化成分のカロテンやビタミンCを多く含んでいますし、辛みのもとは**シニグリン**という成分で、体内に

しそ 免疫力

ミント 免疫力

ガンに効く食べ合わせ

ビタミンCを多く含む食べ物や、腸内環境を整える食べ物、ビタミンB₁を含む食べ物をいっしょにとるとよい。

腸内環境を整える食べ物
山いも　96ページ、りんご　100ページ、
海藻類　108ページ、きのこ類　109ページ、
ヨーグルト　128ページ

レシピ掲載ページ
46ページ、53〜54ページ、57ページ、63ページ、65ページ

香辛料・飲み物

しょうが

漢方生薬にも使われる薬効の高い香味野菜

免疫力

抗炎症作用がガンを抑制する

しょうがは「生姜（しょうきょう）」とも呼ばれ、古くから漢方薬に用いられてきた薬効の高い香辛料です。

注目すべきは、**ジンゲロール、ショウガオール**など辛みのもとになっている薬効成分です。これらには強い抗酸化作用があり、発ガン物質を抑える働きがあるといわれています。

ヒトの体内ではシクロオキシゲナーゼ2（COX2）という酵素によってプロスタグランディンE_2がつくられ、炎症やガンの発育を促進しています。ジンゲロールやショウガオールには、COX2がプロスタグランディンE_2をつくるのを抑える、強い抗炎症作用があります。これがガン予防に効いているのではないかと考えられています。

この抗炎症作用は、**関節炎やリウマチ**の改善にも効果があります。

血栓・高血圧も予防する

ショウガオールやジンゲロールには、血管を拡張して血流を改善する作用もあります。そのため、冷え症、頭痛、むくみ、頻尿、肩や首のこり、腰痛などの改善にも効きます。胃もたれや胸やけを解消したり、脂肪の分解を促して血中コレステロールを低下させたり、血栓予防や血流の改善で高血圧を予防したりする効果も期待できます。

からだを温めて代謝を高めるので、毎日とっているとダイエット効果があるともいわれます。また、生魚の細菌の増殖を抑え、寄生虫のアニサキスを殺すほど、強い殺菌作用があります。

しょうがの基本データ

基本データ	
ショウガ科ショウガ属	旬は秋
エネルギー（100g）	30kcal
多く含まれる栄養素	
カリウム（100g）	270mg
マンガン（100g）	5.01mg
マグネシウム（100g）	27mg
ガンに効く栄養素	
ジンゲロール（155ページ）、ショウガオール（155ページ）	

ガンに効く食べ合わせ

βカロテンを多く含む緑黄色野菜や、ビタミンCを多く含む食べ物、腸内環境を整える食べ物、ビタミンB_1を含む食べ物をいっしょにとるとよい。

βカロテンを多く含む野菜

ブロッコリー 73ページ、小松菜 76ページ、ほうれん草 78ページ、かぼちゃ 89ページ

レシピ掲載ページ

43ページ、45ページ、57ページ、59ページ、61ページ

ごま

強力な抗酸化作用で細胞のガン化を阻止する

いりごまの基本データ

基本データ
ゴマ科ゴマ属	旬は特になし
エネルギー（100g）	599kcal

多く含まれる栄養素
ビタミンE（100g）	24.1mg
食物繊維（100g）	12.6g
ナイアシン（100g）	5.3mg

ガンに効く栄養素
セサミノール（155ページ）、セサミン（155ページ）、ビタミンE（25ページ）、セレン（151ページ）、オレイン酸（135ページ）

このガンに効く！
大腸ガン

腸内細菌が抗酸化成分に変える

ごまには**セサミノール**という強力な抗酸化成分が含まれています。

名古屋大学大学院生命農学研究科の大澤俊彦教授は、ラットの実験でセサミノールの抗酸化力を確認しました。遺伝子が活性酸素に傷つけられると、8ヒドロキシデオキシグアノシン（8OHdG）という物質がつくられ、尿といっしょに排泄されます。ラットに発ガン物質を与えると8OHdGの排泄量が増加しましたが、セサミノールをいっしょに与えたラットでは排泄量が抑えられ、セサミノールによって**細胞のガン化が抑えられた**ことが証明されました。

ただ、ごまそのものにはセサミノールは含まれていません。ごまに含まれる**セサミノール配糖体**には抗酸化作用がありませんが、消化・吸収されると、腸内細菌の働きでセサミノールに変換され、抗酸化作用が発生することがわかりました。セサミノール配糖体はコレステロールの沈着を抑え、動脈硬化を予防することがウサギの実験で確認されています。

豊富な抗酸化成分を含む

ごまには**セサミン**という抗酸化成分も含まれています。セサミンは肝臓で抗酸化作用を示すことが実験で確認されています。抗酸化ビタミンのビタミンEも豊富ですし、強い抗酸化作用でガンを予防するセレンも含まれています。ごまの脂質の40％は**大腸ガン**の予防効果がある**オレイン酸**が占めています。

白ごま

黒ごま

免疫力

ガンに効く食べ合わせ

βカロテンを多く含む緑黄色野菜や、ビタミンCを多く含む食べ物、腸内環境を整える食べ物、ビタミンB₁を含む食べ物をいっしょにとるとよい。

腸内環境を整える食べ物
山いも 96ページ	りんご 100ページ	海藻類 108ページ
きのこ類 109ページ	ヨーグルト 128ページ	

レシピ掲載ページ
43ページ、51ページ、54～55ページ、57ページ、59ページ、62ページ、69ページ

香辛料・飲み物

わさび

多彩な薬効がある日本古来の薬味
ガンや老化を予防する

わさびの基本データ

基本データ	
アブラナ科ワサビ属 旬は晩秋から冬にかけて	
エネルギー（100g）	88kcal
多く含まれる栄養素	
カリウム（100g）	500mg
カルシウム（100g）	100mg
リン（100g）	79mg
ガンに効く栄養素	
ペルオキシダーゼ（156ページ）	
このガンに効く！	
胃ガン	

焦げの発ガン物質を分解する

肉や魚の焼け焦げには、**トリプトファン燃焼分解物質**というガンを促進する物質が含まれています。わさびはその**働きを弱める効果**があります。

わさびに含まれている**ペルオキシダーゼ（POD）** という酵素は、体内でトリプトファン燃焼分解物質を分解してその活性を低下させる働きがあります。

また、わさびはこれを抑制することも確認されています。マウスの実験で、発ガンを促すガンマ線という放射線を照射して染色体異常を起こし、わさびの抽出物を与えると、染色体異常の発生が大幅に低下したという結果が得られました。

胃ガンの原因菌の増殖も抑える

胃・十二指腸潰瘍や胃ガンの発症に、ヘリコバクターピロリ（ピロリ菌）という胃に存在する細菌が関係していることがわかりました。わさびには**ピロリ菌**の増殖を抑える働きがあり、**胃ガン**の予防効果が期待できます。強い抗酸化作用があるので、食品に使用したときに鮮度を保てるのです。

また、わさびにはガンや老化、さまざまな病気の原因になる活性酸素を除去する働きもあります。食べると体内での脂質の酸化予防に役立ちます。

わさびのトリプトファン燃焼分解物質を分解する活性を低下させる働きがあります。細胞が分裂するときに発ガン物質が作用し、染色体に異常が起こることがあり

ガンに効く食べ合わせ

βカロテンを多く含む緑黄色野菜や、ビタミンCを多く含む食べ物、腸内環境を整える食べ物、ビタミンB₁を含む食べ物をいっしょにとるとよい。

βカロテンを多く含む野菜

ブロッコリー 73ページ 、小松菜 76ページ 、ほうれん草 78ページ 、かぼちゃ 89ページ

レシピ掲載ページ
67ページ

免疫力

第3章 ■ ガンが消える食べ物事典

香辛料・飲み物 ● わさび／ウコン

ウコン

発ガンだけでなく
肝機能障害や糖尿病も予防する

免疫力

クルクミンがプロモーションを抑制

ウコンからつくられるスパイスが、クルクミンという黄色い色素成分です。

アメリカのニュージャージー州立ラトガース大学がん研究所のコーニー所長のグループは、マウスの皮膚にガンが起こらない程度の発ガン物質や紫外線を当てて、そこに発ガン促進剤とクルクミンを塗り、クルクミンが皮膚ガンの促進をどの程度抑制するのかを調べました。

その結果、クルクミンに高いガン抑制効果があることがわかりました。

ガンマ線を照射したラットの乳腺で、クルクミンがガンのプロモーション(発ガンが促進される過程)を、強く抑制する効果があったという報告もあります。

腸内で強力な抗酸化物質に変化

名古屋大学大学院の大澤俊彦(おおさわとしひこ)教授は、クルクミンを口からとると、腸内でテトラヒドロクルクミンという抗酸化物質に変化し、これがガンの発生を抑えることを確認しました。

マウスを使い、**大腸ガンと腎臓ガン**に対する抑制効果を調べる実験をそれぞれ行い、クルクミンそのものよりも、テトラヒドロクルクミンに強いガン抑制効果があることが判明したのです。

昔からウコンは肝臓を丈夫にするといわれ、民間療法で用いられてきました。胆汁(たんじゅう)の分泌を促進する作用、肝臓障害の予防・改善効果があるのではないかと考えられ、研究が進められています。

ガンに効く食べ合わせ

βカロテンを多く含む緑黄色野菜や、ビタミンCを多く含む食べ物、腸内環境を整える食べ物、ビタミンB₁を含む食べ物をいっしょにとるとよい。

ビタミンCを多く含む食べ物

ブロッコリー 73ページ 、小松菜 76ページ 、
レモン 101ページ 、いちご 104ページ

レシピ掲載ページ → 53ページ

香辛料・飲み物

緑茶

緑茶に含まれるカテキン類のガン予防効果が確認されている

緑茶に含まれるカテキンが食道ガン、十二指腸ガン、胃ガン、乳ガン、大腸ガン、肝臓ガン、肺ガン、小腸ガン、皮膚ガンに有効なことを明らかにしました。

緑茶のカテキンには発ガン物質の作用を消す、発ガン物質による細胞の突然変異を予防する、突然変異を起こした細胞を正常な細胞に戻す、細胞のガン化を抑えるなど、さまざまな抗ガン作用があることがわかっています。

ピロリ菌の除菌効果もある

関心を集めているのがヘリコバクターピロリ(ピロリ菌)への作用です。胃炎や胃潰瘍、胃ガンの原因となるピロリ菌を、カテキンが抑えることが、動物やヒトの臨床試験で明らかになりました。

34人のピロリ菌感染者に1日700mgのカテキンを1カ月間投与したところ、ほとんどの人のピロリ菌の活性が低下し、実験が終わってから1カ月後には、6人が除菌していることがわかりました。

ほかに、カテキンには血中コレステロールを低下させる、腸内環境を整えるなどの効果もあります。

茶カテキンが発ガンを抑制

緑茶に含まれるカテキンにはさまざまな効果があることが知られ、特に**発ガン予防作用**は多くの研究で明らかにされています。緑茶に含まれているカテキンには4種類がありますが、もっとも抗ガン作用が高いといわれるのが**エピガロカテキンガレート**です。

三井農林株式会社食品総合研究所所長の原征彦氏(はらゆきひこ)(現東京フードテクノ株式会社副社長)は緑茶について研究を重ね、ラ

緑茶の基本データ

基本データ
チャノキ　ツバキ科ツバキ属
旬は春から夏にかけて

エネルギー(100g)	
茶葉	331kcal
浸出液	2kcal

多く含まれる栄養素
βカロテン当量(茶葉/100g)　13000μg
葉酸(茶葉/100g)　1300μg
ビタミンE(茶葉/100g)　78.6mg

ガンに効く栄養素
エピガロカテキンガレート(153ページ)

このガンに効く!
食道ガン、十二指腸ガン、胃ガン、乳ガン、大腸ガン、肝臓ガン、肺ガン、小腸ガン、皮膚ガン

● 免疫力
● 腸内環境

ガンに効く食べ合わせ

βカロテンを多く含む緑黄色野菜や、ビタミンCを多く含む食べ物、腸内環境を整える食べ物、ビタミンB₁を含む食べ物をいっしょにとるとよい。

ビタミンCを多く含む食べ物
ブロッコリー(73ページ)、小松菜(76ページ)、レモン(101ページ)、いちご(104ページ)

紅茶

カテキンと水溶性成分が発ガンを抑制する

香辛料・飲み物 ●緑茶／紅茶

紅茶の基本データ

基本データ
チャノキ　ツバキ科ツバキ属
旬は特になし

エネルギー（100g）
茶葉	311kcal
浸出液	1kcal

多く含まれる栄養素
ビタミンK（茶葉／100g）	1500μg
カルシウム（茶葉／100g）	470mg
鉄（茶葉／100g）	17mg

ガンに効く栄養素
テアフラビン（155ページ）、テアルビジン（155ページ）

このガンに効く！
大腸ガン、小腸ガン、胃ガン

ポリフェノールは緑茶よりも豊富

紅茶、緑茶、ウーロン茶は同じチャノキからつくられていますが、大きな違いは発酵しているかどうかです。

緑茶は茶葉を乾燥させただけですが、紅茶やウーロン茶は発酵させて乾燥しています。発酵させるとカテキンは酸化され、紅茶の色素成分となる茶褐色のテアフラビンやテアルビジンに変化します。これらは抗酸化作用が強いポリフェノールです。緑茶のポリフェノールが11～15％なのに対し、紅茶は20％前後と総ポリフェノール量は、紅茶のほうが多くなっています。

緑茶と同等の発ガン抑制効果をもつ

静岡県立大学薬学部の中村好志助教授らのグループは、緑茶、紅茶、ウーロン茶、黒茶（黒こうじ菌で発酵させた茶葉）の発ガン抑制作用を調べました。それぞれの茶葉5gに熱湯100mlを加えて10分間煮出し、茶葉を除いた抽出物を①カフェイン、②カテキン、③カテキンの酸化化合物、④水溶性成分の4種類に分け

て発ガンの抑制作用を調べました。

その結果、**緑茶と紅茶**の発ガン抑制効果は同じであることがわかりました。紅茶にも発ガン抑制効果があることが認められましたが、その成分の詳細はまだわかっていません。糖とポリフェノール化合物の混合物ではないかと考えられています。

マウスの実験では、**大腸ガン、小腸ガン、胃ガン**に対する抑制効果があり、緑茶のカテキンよりも優れた効果があったそうです。緑茶のカテキンはガン細胞のアポトーシス（自滅）を誘導することが証明されていますが、紅茶に含まれる成分もアポトーシスを誘導することが確認されています。

ガンに効く食べ合わせ

βカロテンを多く含む緑黄色野菜や、ビタミンCを多く含む食べ物、腸内環境を整える食べ物、ビタミンB₁を含む食べ物をいっしょにとるとよい。

腸内環境を整える食べ物
- 山いも　96ページ
- りんご　100ページ
- 海藻類　108ページ
- きのこ類　109ページ
- ヨーグルト　128ページ

免疫力

香辛料・飲み物

コーヒー

動物実験でのガン予防効果が証明されている

コーヒーの基本データ

基本データ	
アカネ科コーヒーノキ属　旬は特になし	
エネルギー（100g）	4kcal
多く含まれる栄養素	
カリウム（100g）	65mg
リン（100g）	7mg
ナイアシン（100g）	0.8mg
ガンに効く栄養素	
クロロゲン酸（154ページ）	
このガンに効く！	
結腸ガン、肝臓ガン、舌ガン	

免疫力

クロロゲン酸がガンを予防する

かつて「コーヒーを飲むとガンになる」といわれたことがありますが、最近の研究で、**コーヒーがガンを予防・改善する**ことがわかりました。

コーヒーのガン予防成分として注目されているのは**クロロゲン酸**です。

コーヒーが発ガン（イニシエーション）を抑制する効果は、動物実験などで検証されてきました。発ガン物質を投与すると、普通のエサだけ与えたグループよりもクロロゲン酸を加えたエサを与えたグループのほうが、**結腸ガンと肝臓ガン**の発生が抑えられました。発ガン物質を投与したときの**舌ガン**の発生が、クロロゲン酸で抑制されることもラットの実験で確認されています。

発生だけでなく浸潤も抑制

発生したガンにコーヒーがどう作用するのか、という研究も進められています。東京農工大学の矢ケ崎一三教授は、ガンの増殖と浸潤（ガンが広がっていくこと）にコーヒーが及ぼす効果を、ラットを使って調べました。コーヒーが**ガンの増殖と浸潤を抑制**したそうです。

さらに、コーヒーはできてしまったガンの改善にも効果があることが明らかになりました。コーヒーに含まれるクロロゲン酸には**強力な抗酸化作用**があり、活性酸素を除去してガンの浸潤を抑制するのではないかと考えられています。

クロロゲン酸はレギュラーコーヒーでもインスタントコーヒーでもとることができます。

ガンに効く食べ合わせ

βカロテンを多く含む緑黄色野菜や、ビタミンCを多く含む食べ物、腸内環境を整える食べ物、ビタミンB$_1$を含む食べ物をいっしょにとるとよい。

βカロテンを多く含む食べ物

ブロッコリー 73ページ、小松菜 76ページ、ほうれん草 78ページ、かぼちゃ 89ページ

118

第3章 ガンが消える食べ物事典

ココア

強い抗酸化作用があり細胞がガン化するのを防ぐ

カカオポリフェノールが効果を発揮

ココアのポリフェノールはカカオポリフェノールと呼ばれ、強い抗酸化作用や細胞の突然変異を防ぎガンを予防する作用があるそうです。

肉や魚の焼け焦げに含まれる成分による細胞のガン化が、カカオポリフェノールで抑制されることはサルモネラ菌を使った実験で確認されています。また、ラットの実験で、乳腺ガンを起こす発ガン物質を与えて比較したところ、カカオポリフェノールを与えるとガンの発生率が低い傾向が認められたそうです。

同じくラットの実験で、カカオポリフェノールを与えると、膵臓の前ガン病変（ガンの前段階の細胞異常）が、有意（統計的に意味があること）に抑えられました。ほかにも、ラットに多臓器ガンを発生させる実験では、カカオポリフェノールを与えたグループで、有意に生存率が高いという結果が出ました。

カカオポリフェノールがガンを抑える詳しいしくみはまだわかっていませんが、抗酸化作用によるものではないかと考えられています。

動脈硬化や糖尿病性白内障も予防

カカオポリフェノールはほかにも、LDL（悪玉コレステロール）の酸化を抑えて動脈硬化を予防したり、胃粘膜を保護したりする作用があります。商品によってカカオポリフェノールの

ココアの基本データ

基本データ
アオギリ科カカオ属	旬は特になし
エネルギー（100g）	271kcal

多く含まれる栄養素
一価不飽和脂肪酸（100g）	6.88g
カリウム（100g）	2800mg
鉄（100g）	14mg

ガンに効く栄養素
カカオポリフェノール（153ページ）

このガンに効く！
乳腺ガン

量は異なります。効率的にとるには、パッケージの表示を確認して、カカオの量が多い製品を選ぶといいでしょう。

ガンに効く食べ合わせ

βカロテンを多く含む緑黄色野菜や、ビタミンCを多く含む食べ物、腸内環境を整える食べ物、ビタミンB₁を含む食べ物をいっしょにとるとよい。

ビタミンB_1を多く含む食べ物
春菊 77ページ、大豆 97ページ、玄米 98ページ、そば 99ページ

免疫力

香辛料・飲み物

はちみつ

免疫力を高める人類最古といってもいい甘味料

クエン酸回路 **免疫力**

薬としても用いられてきた

ギリシャ神話には最高神ゼウスははちみつで育てられたと書かれ、紀元前6000年頃に描かれたスペインのアラーニャ洞窟の壁画にはちみつがあったなど、はちみつは人類最古の甘味料として親しまれてきました。単なる甘味料としてとらえられがちですが、実は免疫力を高める健康食品です。

栄養補給、疲労回復に役立ちますが、薬効が認められ、薬としても使われてきました。漢方では古くから生薬をはちみつで練り合わせていました。日本では日本薬局方（厚生労働大臣が定めた医薬品の規格基準書）に、口内炎の治療薬として記載されています。

成分の約80％を果糖、ブドウ糖などが占めますが、ビタミンB₁・B₂、パントテン酸などのビタミンB群のほか、ビタミンC、亜鉛、乳酸、クエン酸、コハク酸などを含みます。このほかにも、まだわかっていない未知の成分が含まれているのかもしれません。

はちみつはpH4程度の弱酸性なので腐ることがなく、長期間保存できます。強い抗菌作用もあります。

長寿地域でよく食べられている

京都大学大学院の家森幸男（やもりゆきお）名誉教授の研究では、長寿地域として知られるグルジアやアゼルバイジャンでは甘味料としてはちみつが用いられ、**薬としてなめる習慣がある**といいます。これらの地域はヨーグルトといっしょにとるので、相乗的な効果で腸内環境が整えられ、免疫力が高まると考えられています。

はちみつの基本データ

基本データ	
エネルギー（100g）	294kcal
多く含まれる栄養素	
カリウム（100g）	13mg
鉄（100g）	0.8mg
ガンに効く栄養素	
ビタミンB₁（149ページ）	

ガンに効く食べ合わせ

βカロテンを多く含む緑黄色野菜や、ビタミンCを多く含む食べ物、腸内環境を整える食べ物をいっしょにとるとよい。

βカロテンを多く含む食べ物

ブロッコリー 73ページ、小松菜 76ページ、ほうれん草 78ページ、かぼちゃ 89ページ

レシピ掲載ページ

50ページ、58〜59ページ、61ページ、65ページ

第3章 ■ ガンが消える食べ物事典

香辛料・飲み物 ● はちみつ／梅酒

梅酒

梅の薬効成分がアルコールで抽出されている

万病の薬として珍重された

梅は8世紀半ばに中国から日本に伝来したといわれています。美しい花が愛されたのはもちろん、その実は万病の薬としても珍重されたそうです。

梅にはリンゴ酸、クエン酸、コハク酸、フマル酸、ビタミンB群・C、カロテンなど健康によい成分が含まれています。未熟な梅の種には毒性があり、酸味も強いため、そのまま食べることは少ないです。梅干しがつくられるようになったのは平安時代からで、それ以降、食中毒予防など、民間の健康食品として活躍してきました。明治時代からは梅酒がつくられるようになっています。

抗酸化作用はビタミンEと同等

近畿大学農学部の吉栖肇（よしずみはじめ）教授らのグループの研究で、梅酒にはリオニレシノールという抗酸化成分が含まれていることがわかりました。リオニレシノールの抗酸化作用は、ビタミンEとほぼ同じであることがわかり、梅酒に含まれている量のリオニレシノールでも、細胞の遺伝子を傷つける活性酸素や、老化やガン化を促す物質を減少する効果があることが確認されています。

梅酒には果皮や種に含まれている成分が、アルコールと糖につけることで抽出されていて、リオニレシノールのほかに、フラボノイドやポリフェノールなどの抗酸化成分が含まれています。それらの相乗効果で、より強いガン予防効果が得られるのでしょう。

梅酒の基本データ

基本データ
- エネルギー（100g）･･･････156kcal

多く含まれる栄養素
- カリウム（100g）･･･････39mg
- リン（100g）･･･････3mg

ガンに効く栄養素
- リオニレシノール（157ページ）、フラボノイド（156ページ）、ポリフェノール（157ページ）

● 免疫力
● クエン酸回路

ガンに効く食べ合わせ

βカロテンを多く含む緑黄色野菜や、ビタミンCを多く含む食べ物、腸内環境を整える食べ物をいっしょにとるとよい。

ビタミンCを多く含む食べ物
ブロッコリー 73ページ、小松菜 76ページ、レモン 101ページ、いちご 104ページ

動物性食品

鶏肉

せっかく食べるのだから高品質な鶏肉を選びたい

人間は草食動物だった!?

牛肉や豚肉など、**四足歩行動物のとりすぎ**は、肥満、動脈硬化、脂質異常症を引き起こします。それだけではなく、アメリカの研究結果では、**動物性のたんぱく質や脂肪のとりすぎが発ガンやガンを促進する**と警告しています。

ヒトはそもそも穀類を主食としてきました。それは、唾液の酵素の成分からもわかります。ヒトの唾液は、植物性のでんぷんに必要な消化酵素であるアミラーゼの活性がとても高いのです。反対に肉食動物では、アミラーゼの活性はゼロになっています。

健康増進も期待できる

だからといって、動物性たんぱく質をとってはいけないわけではありません。たんぱく質は私たちのからだを構成する細胞をつくる、大切な栄養素です。

健康な人であれば、とりすぎないように食べればいいでしょう。再発予防には、脂肪やコレステロールが少ない**鶏ささ身**や**胸肉**を1日1回食べるのなら問題ありません。

肉類でおすすめなのは鶏肉です。鶏肉は脂質が少なく、良質のたんぱく質が含まれ、ビタミンA、ナイアシン、コラーゲンが含まれています。

軟骨にはコラーゲンが豊富に含まれ、皮膚や毛髪の新陳代謝を促して、若々しさの維持につながります。

ただし、**品質が大切**です。自然に近い状態で放し飼いにされた鶏肉を選ぶのが理想的です。

若鶏肉の基本データ

基本データ

エネルギー（100g）
- 皮なし胸肉 108kcal
- ささ身 105kcal

多く含まれる栄養素
- たんぱく質（ささ身／100g） ... 23g
- n-6系多価不飽和脂肪酸（皮なし胸肉／100g） 0.19g
- 多価不飽和脂肪酸（皮なし胸肉／100g） 0.22g

ガンに効く栄養素
- ビタミンA（25、149ページ）

ガンに効く食べ合わせ

βカロテンを多く含む緑黄色野菜や、ビタミンCを多く含む食べ物、ビタミンB₁を含む食べ物、腸内環境を整える食べ物をいっしょにとるとよい。

βカロテンを多く含む食べ物

ブロッコリー 73ページ、小松菜 76ページ、ほうれん草 78ページ、かぼちゃ 89ページ

レシピ掲載ページ
65ページ

免疫力

第3章 ■ ガンが消える食べ物事典

動物性食品●鶏肉／卵

卵

栄養のバランスがよい優れた健康食品

免疫力

卵の基本データ

基本データ	
エネルギー（100g）	151kcal
多く含まれる栄養素	
レチノール（100g）	140μg
多価不飽和脂肪酸（100g）	1.66g
一価不飽和脂肪酸（100g）	3.69g
ガンに効く栄養素	
コリン（154ページ）	
このガンに効く！	
乳ガン	

コレステロールの増加は心配ない

一時期、「卵を食べるとコレステロールが上昇する」と卵が悪者扱いされたことがあります。最近では、コレステロールのほかにも、健康によい成分が含まれていることがわかりました。良質なものを1日1個程度なら問題ありません。

日本で1981年に行われた実験では、1日5〜10個の卵を5日連続で食べても、血中コレステロールに変化はありませんでした。1998年の試験では1日10個以上、10日連続して食べてもコレステロール値は変化しませんでした。アメリカで1000人を追跡した研究では、1日1〜2個の卵を食べても、動脈硬化は増加しないという結果が出ました。健康な人なら毎日卵をとっても悪影響はないことがわかったのです。

認知症やガンを予防する

卵の黄身にはコリンという成分が含まれています。コリンは脳の働きと密接に関連しています。アルツハイマーの患者さんの脳ではコリンが不足していることから、認知症の予防・改善と関係があるとされています。

さらに、コリンはガンとも関連があり、アメリカのノースカロライナ大学の研究で、3000人の女性を対象にした調査で、コリンを多くとった女性は、乳ガンのリスクが24％低下したといいます。また、卵白に含まれるリゾチームには免疫力を高める働きがあります。

卵は多くの栄養素がバランスよく含まれた優れた健康食品です。平飼いされ、自然なエサで健康的に育った鶏の卵を選ぶのが理想です。

ガンに効く食べ合わせ

βカロテンを多く含む緑黄色野菜や、ビタミンCを多く含む食べ物、ビタミンB₁を含む食べ物、腸内環境を整える食べ物をいっしょにとるとよい。

ビタミンB₁を多く含む食べ物
春菊 77ページ 、大豆 97ページ 、玄米 98ページ 、そば 99ページ

レシピ掲載ページ

42ページ、49ページ、53ページ、55ページ、59ページ、62ページ

動物性食品

青魚 — 優れた脂肪酸を豊富に含む

ガンやアレルギー疾患を抑える

まぐろ、さば、いわし、さんま、あじなど青背の魚（青魚）は、DHA（ドコサヘキサエン酸）やEPA（エイコサペンタエン酸）という非常に優れた脂肪酸を含んでいます。特にDHAはガン、脳卒中、心筋梗塞や、アレルギー疾患の予防に効果があると考えられています。東京水産大学の矢澤一良教授の実験によると、大腸ガンの発ガン物質をラットに投与し、一方に水を与え、もう一方にDHAを与えたところ、水を与えた群は発生した前ガン症状の数が122個でしたが、DHAを与えた群は42個と3分の1に抑えられました。それだけでなく前ガン症状の大きさも抑えられたそうです。

DHAはプロスタグランディンE₂を合成する酵素を抑えて、ガンを予防すると考えられています。脂肪酸から体内でつくられるプロスタグランディンE₂は炎症やガンを発生させてガンを促進します。炎症にも関係するので、アレルギー疾患を抑える効果もあります。ほかにも、ラットの実験で、乳ガンや子宮頸部ガンを抑制する効果があることが確認されました。

EPAが脂質異常症や動脈硬化を予防

EPAもDHAと同じような働きをすることで知られています。

EPAは血液をかたまりにくくして血液中の中性脂肪を低下させ、脂質異常症や動脈硬化を予防します。

DHAの理想的な摂取量は1日500mgから1gです。一度にたくさん食べるよりも、1日に1回程度、バランスよく食べるほうが効果的です。

青魚の基本データ

基本データ
いわし 旬は夏、さんま 旬は秋
エネルギー（100g）
いわし・・・・・・217kcal
さんま・・・・・・310kcal

多く含まれる栄養素
n-3系多価不飽和脂肪酸（さんま／100g）・・・3.95g
多価不飽和脂肪酸（さんま／100g）・・・4.58g
ビタミンB₁₂（さんま／100g）・・・17.7μg

ガンに効く栄養素
DHA（155ページ）、EPA（153ページ）

このガンに効く！
大腸ガン、乳ガン、子宮頸部ガン

ガンに効く食べ合わせ

βカロテンを多く含む緑黄色野菜や、ビタミンCを多く含む食べ物、ビタミンB₁を含む食べ物、腸内環境を整える食べ物をいっしょにとるとよい。

βカロテンを多く含む食べ物
ブロッコリー 73ページ、小松菜 76ページ、ほうれん草 78ページ、かぼちゃ 89ページ

いわし

さんま

免疫力

第3章 ■ ガンが消える食べ物事典

動物性食品 ●青魚／鮭

免疫力

鮭
βカロテンより強い抗ガン・抗酸化作用がある

紅鮭の基本データ

基本データ	
紅鮭	旬は秋
エネルギー（100g）	138kcal
多く含まれる栄養素	
カリウム（100g）	380mg
ビタミンD（100g）	33μg
パントテン酸（100g）	1.23mg
ガンに効く栄養素	
アスタキサンチン（152ページ）	
このガンに効く！	
膀胱ガン、大腸ガン、舌ガン	

赤い色素にガン予防作用がある

鮭は赤い色をしているので赤身魚と思われがちですが、実は白身魚です。鮭の赤色は、**アスタキサンチン**という色素によるものです。

アスタキサンチンは**カロテノイド**の一種で、強力な抗酸化作用があり、免疫力を高めてガンを予防します。

金沢医科大学第一病理学講座の田中卓二（たなかたくじ）教授は、**膀胱ガン**（ぼうこう）の発ガン物質を水に混ぜてマウスに20週間与え、アスタキサンチンの抗ガン作用を確認する実験を行いました。すると、発ガン物質と水を与えたマウスは42％にガンが発生し、発ガン物質とアスタキサンチンを混ぜた水を与えたマウスのガン発生率は18％と、ガンの発生が57％抑えられたそうです。

さらに、**大腸ガン**の発生物質を皮下注射したマウスの実験では、アスタキサンチンを与えたマウスのガン発生率はおよそ半分に抑えられました。

舌ガンの実験では、発ガン物質といっしょにアスタキサンチンを与えたマウス、発ガン物質ののちにアスタキサンチンを与えたマウスのいずれもガンの発生が見られませんでした。

赤い色が強いほど効果が大きい

アスタキサンチンはβカロテンの何倍もの効果があることがわかっています。

赤い色の強い鮭ほどアスタキサンチンが多く含まれています。鮭には白鮭、銀鮭、紅鮭などがありますが、赤い色がもっとも強いのは紅鮭で、ガンの予防におすすめです。

ガンに効く食べ合わせ

βカロテンを多く含む緑黄色野菜や、ビタミンCを多く含む食べ物、ビタミンB₁を含む食べ物、腸内環境を整える食べ物をいっしょにとるとよい。

腸内環境を整える食べ物
山いも 96ページ、りんご 100ページ、海藻類 108ページ、きのこ類 109ページ、ヨーグルト 128ページ

レシピ掲載ページ
57ページ

動物性食品

貝類

免疫力を高める タウリンや亜鉛を豊富に含む

あさり・しじみの基本データ

基本データ	
あさり	旬は春と秋
しじみ	旬は夏と冬
エネルギー（100g）	
あさり	30kcal
しじみ	51kcal
多く含まれる栄養素	
カリウム（あさり／100g）	140mg
ビタミンB_{12}（しじみ／100g）	62.4μg
カルシウム（しじみ／100g）	130mg
ガンに効く栄養素	
タウリン（155ページ）	
このガンに効く！	
皮膚ガン	

免疫力

ガンに効く食べ合わせ

βカロテンを多く含む緑黄色野菜や、ビタミンCを多く含む食べ物、ビタミンB_1を含む食べ物、腸内環境を整える食べ物をいっしょにとるとよい。

腸内環境を整える食べ物

山いも 96ページ 、りんご 100ページ 、海藻類 108ページ 、きのこ類 109ページ 、ヨーグルト 128ページ

レシピ掲載ページ

45ページ

免疫力を高めてガンを予防する

縄文貝塚が示すように、貝類は縄文人にとって一万年以上もの間、貴重な保存食でした。ヒトの先祖の体内で完全に代謝される健康食といっていいでしょう。

青森県産業技術開発センターは、ガン細胞を注射したマウスに、**ほたて**の成分（グリコーゲン）を注射する実験を行いました。通常、ガン細胞を注射したマウスは2週間ほどで死亡します。実験の結果、グリコーゲンを与えたマウスはすべて生き残りました。この結果から、ほてをとると人間のガンにも効果があるのではないかと期待されています。

青森大学の研究グループは、**皮膚ガン**を移植したマウスの皮膚に、**シジミエキス**を投与する実験を行いました。その結果、シジミエキスを与えなかったマウスは5匹すべてにガンが発生しましたが、シジミエキスを与えたマウスは5匹中3匹にしか発生しませんでした。

シジミエキスは白血球のひとつであるマクロファージを活性化してTNF（腫瘍壊死因子）を産生するなど、免疫力を高めてガンの発生を抑えることが判明しました。

タウリンや亜鉛の不足はガンと関係？

亜鉛が不足して起こる病気が増加していますが、ガンも亜鉛不足と関係しているという報告があります。貝類に含まれている**タウリン**や**亜鉛**には、ガンを予防する働きがあると考えられています。亜鉛は、海のミルクといわれるほど栄養豊富な**かき**に多く含まれています。

甲殻類

赤い色素のアスタキサンチンが抗ガン・抗酸化作用を現す

有害物質を無害にする

えびやかににに含まれる赤い色素は、鮭で紹介した**アスタキサンチン**です。アスタキサンチンには強い抗酸化作用があり、βカロテンの何倍もの効果があるといわれます。動物実験では、**膀胱ガン**、**大腸ガン**、**舌ガン**などを抑えることが明らかにされています。

また、えびに含まれている**ベタイン**といううまみ成分には、ホモシステインをメチオニンに変える働きがあります。メチオニンが肝臓で代謝されるときにつくられるのが**ホモシステイン**です。ホモシステインはさらに代謝されてシステインに変化しますが、**ビタミンB₁**が不足すると代謝が阻害され、ホモシステインが体内に過剰に蓄積されます。過剰なホモシステインが活性酸素で酸化すると、ガン、動脈硬化、脂質異常症、脂肪肝などの要因になります。

つまり、えびに含まれるベタインは、過剰になると**有害なホモシステインを有益なメチオニンに変換**して、先に挙げた病気を予防・改善するといえます。

チオニン

チオニンは肝臓などで働く必須アミノ酸のひとつで、有害物質を解毒したり、老廃物を排泄したり、コレステロールや中性脂肪を分解して低下させたりする働きがあります。また、メチオニンは体内を活性酸素の害から守るセレンを、全身に運ぶ役目もあります。

タウリン不足がガンに関係?

かににはタウリンが含まれています。タウリンは人間のあらゆる臓器に存在していて、生命活動の維持に役立っています。代謝・栄養障害が発生し、ガンを招きやすい状態のときは、タウリンが不足していることがあります。

えび・いかの基本データ

基本データ
えび・いか
　旬は冬（いかは種類によって異なる）
　エネルギー（100g）
　　ブラックタイガー・・・・・・・82kcal
　　あかいか・・・・・・・・・・・89kcal

多く含まれる栄養素
　カルシウム（ブラックタイガー／100g）　67mg
　カリウム（あかいか／100g）　330mg
　多価不飽和脂肪酸（あかいか／100g）0.31g

ガンに効く栄養素
アスタキサンチン（152ページ）、ベタイン（156ページ）、タウリン（155ページ）

このガンに効く!
膀胱ガン、大腸ガン、舌ガン

ガンに効く食べ合わせ

βカロテンを多く含む緑黄色野菜や、ビタミンCを多く含む食べ物、ビタミンB₁を含む食べ物、腸内環境を整える食べ物をいっしょにとるとよい。

ビタミンB₁を多く含む食べ物
春菊 77ページ 、大豆 97ページ 、玄米 98ページ 、そば 99ページ

免疫力

動物性食品

ヨーグルト

長寿地域で多食されている免疫力を高める食べ物

免疫力 / 腸内環境

善玉菌を増やし有害物質を排泄するを予防します。

ブルガリア地方など長寿者が多い地域では、ヨーグルトを常食しています。ほかにも、発酵乳を多食する地域では長生きの人が多いことが確認されています。

ヨーグルトは腸内細菌に働きかけてガンを予防します。腸内に存在する、100種類、100兆個を超える腸内細菌には、善玉と悪玉があります。腸内に悪玉菌が増えすぎると大腸ガンを招きやすくなり、善玉菌が多くなると免疫力が高まりガンを予防します。

ヨーグルトには腸内の善玉菌のエサになるオリゴ糖が含まれています。オリゴ糖など善玉菌のエサになる成分が多いのは大豆、はちみつ、玉ねぎなどです。

また、ヨーグルトの乳酸菌には有害物質の化学変化を促して、毒性を低下させる作用があります。有害物質が体内に侵入しても、乳酸菌の働きで細胞のガン化を防ぐことができます。

また、乳酸菌は有害物質と結合する性質や、腸の蠕動（ぜんどう）運動を高める作用があります。この相乗効果で、消化管内に有害物質が入っても、毒物を吸着してそのまま便などといっしょに排泄して、大腸ガンを予防します。ヨーグルトをとると胃ガンの原因になるピロリ菌の増殖も抑制することがわかっています。

便の有害物質が70％も減少した

信州大学農学部の研究では、若い男性に毎日200mlの発酵乳を2週間飲み続けてもらい、飲む前とあとの便に含まれる有害物質を比較しました。その結果、もっとも効果が大きかった人は、飲む前に比べて70％も減少していました。

ヨーグルトの基本データ

基本データ	
エネルギー（100g）	62kcal

多く含まれる栄養素	
カルシウム（100g）	120mg
レチノール（100g）	33μg
カリウム（100g）	170mg

ガンに効く栄養素
オリゴ糖（153ページ）、乳酸菌（30ページ）

このガンに効く！
大腸ガン、胃ガン

ガンに効く食べ合わせ

βカロテンを多く含む緑黄色野菜や、ビタミンCを多く含む食べ物、ビタミンB₁を含む食べ物、ミネラルバランスを整える食べ物をいっしょにとるとよい。

ビタミンCを多く含む食べ物

ブロッコリー 73ページ、小松菜 76ページ、レモン 101ページ、いちご 104ページ

レシピ掲載ページ

41～42ページ、45～47ページ、50ページ、53～55ページ、58ページ、61～63ページ、67ページ、69ページ

第4章 ガンを引き起こすさまざまな要因

ガンを促進する動物性たんぱく質

マウスの実験によって明らかになったこと

アメリカ、コーネル大学のコリン・キャンベル教授は栄養学の権威で、世界的にもよく知られています。教授はガンと栄養の関係に注目し、さまざまな研究を行ってきました。教授は研究の結果を、「動物性食品をまったく食べないことがもっとも安全である」としています。

この研究の結果をまとめたのが『チャイナ・スタディー』という書籍で、アメリカでは数年前に話題となりました。

そのなかでも、特に注目されたのが動物性たんぱく質とガンの関係です。実験では、マウスに肝臓ガンの発ガン性物質であるアフラトキシンを注射し、総エネルギー量に対するたんぱく質の割合をグループごとに変えて、ガンの進行との関係を調べました。

すると、総エネルギー量に対し、10％のたんぱく質を与えたマウスの病巣が成長する速度は、10％以下とそれほど高くなかったのですが、12％を超えた場合は成長スピードがとても早まってしまったのです。この実験結果からは、**たんぱく質のとりすぎ**が、ガンを促進することがわかります。

からだの成長に必要なたんぱく質は、**総エネルギー量の10％程度**とされています。これを超えると、ガンを促進してしまうと考えていいでしょう。日本人のたんぱく質摂取量（成人）は**約15％**なので、**とりすぎ（ガンを促進）**ています。

実験では、さらに動物性たんぱく質であるカゼイン／牛乳などに含まれるたんぱく質）と植物性たんぱく質（グルテン／大豆などに含まれるたんぱく質）に分けて調べました。その結果、同じ量をとっていても、**植物性たんぱく質**をとっていたマウスのほうが、病巣の反応が明らかに低いことがわかりました。植物性たんぱく質は、とりすぎを心配する必要がないことがわかります。

コリン・キャンベル教授の実験からは動物性たんぱく質のとりすぎが、いかにガンを促進させるかがわかります。とはいえ、たんぱく質は細胞をつくるときに欠かせない大切な栄養素です。不足すると、細胞の代謝がうまくいかなくなり、免疫力の低下を招きます。

とりすぎが問題質と量に注意する

大切なのは、量と質に気をつけることです。動物性たんぱく質の量をおさえ、大豆食品など植物性のたんぱく質をとる

第4章　ガンを引き起こすさまざまな要因

ガンの要因

たんぱく質量による病巣の成長の状況

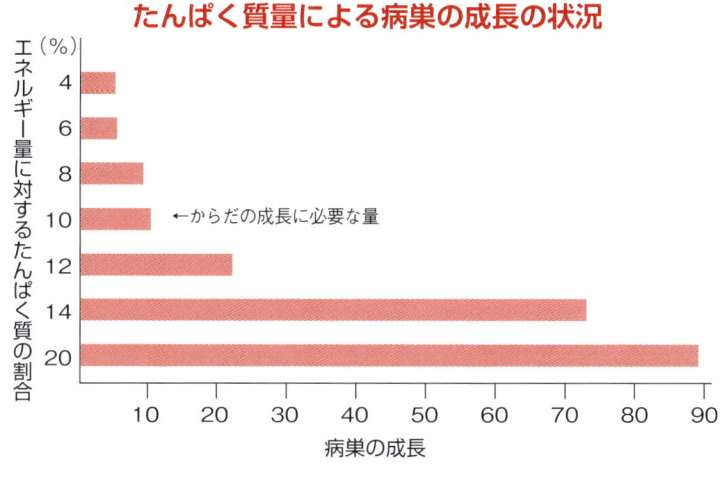

エネルギー量に対するたんぱく質の割合 (%)

- 4
- 6
- 8
- 10 ←からだの成長に必要な量
- 12
- 14
- 20

病巣の成長：10 20 30 40 50 60 70 80 90

アフラトキシンの投与量と病巣反応の関係

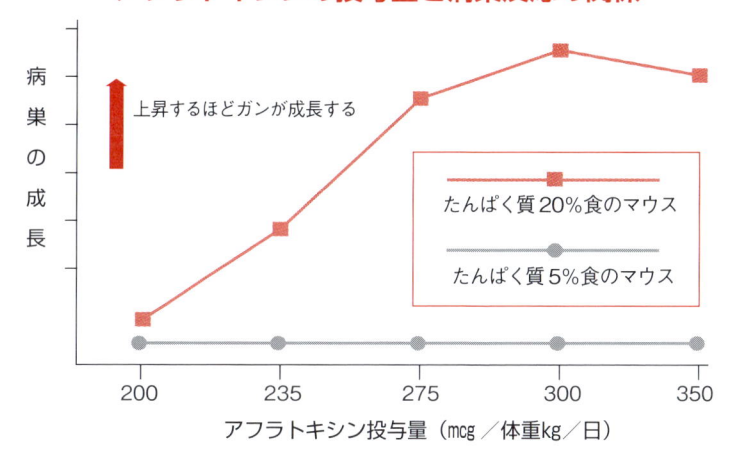

病巣の成長　上昇するほどガンが成長する

- たんぱく質20％食のマウス
- たんぱく質5％食のマウス

アフラトキシン投与量（mcg／体重kg／日）：200　235　275　300　350

たんぱく質の種類と病巣反応

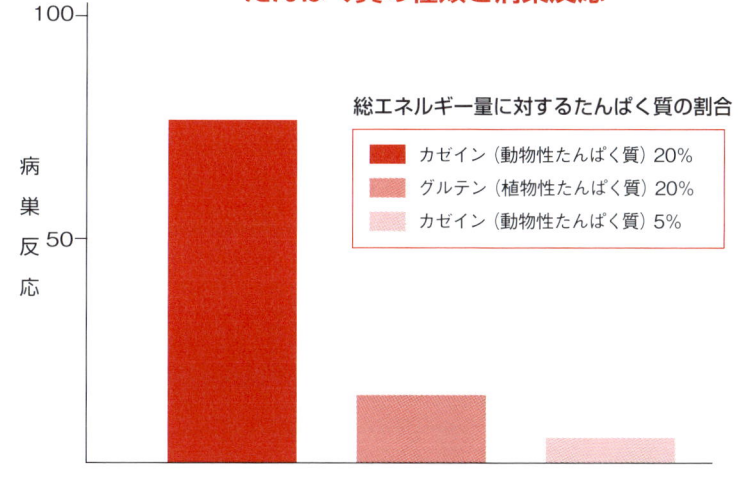

病巣反応　100／50

総エネルギー量に対するたんぱく質の割合
- カゼイン（動物性たんぱく質）20％
- グルテン（植物性たんぱく質）20％
- カゼイン（動物性たんぱく質）5％

『葬られた「第二のマクガバン報告」』（グスコー出版）をもとに作成

ようにする。それだけでもガンの予防、改善につながります。

済陽式食事療法では**ヨーグルト**をすすめているため、動物性たんぱく質をとりすぎているのではないかと心配される方がいらっしゃいます。100g中の普通牛乳に含まれているたんぱく質量は3.3g、ヨーグルトは3.6gです。牛肉や豚肉（もも肉）100gに含まれるたんぱく質量は、それぞれ13・3g、20・5gなので、乳製品のたんぱく質はそれほど多いわけではありません。

鶏肉や魚介類にも動物性たんぱく質は含まれているので、ガン治療中はこれを制限しています。厳密に考えると控えたほうがいいのですが、玄米菜食に耐えられないという人は、続けるために少量であればとってもいいでしょう。

脂質にはいいモノと悪いモノがある

脂質にも大切な役割がある ただし、とりすぎは厳禁

1gあたり9kcalと、効率のよいエネルギー源になるため、脂質は肥満の元凶のようにいわれます。動脈硬化の原因といわれるコレステロールも脂質の一種です。悪役扱いされることが多いのですが、ホルモンや細胞膜の原料になったり、脂溶性ビタミンの吸収をよくしたり、腸の内容物の移動をスムーズにし便秘を改善したりと、大切な役割があります。

牛肉や豚肉に含まれる脂、魚介類に含まれる脂、調理するときに欠かせない植物油。脂質にはいろいろな種類があります。そして、脂質の種類によって、ガンを引き起こしたり、動脈硬化や認知症を予防したりするものがあることをご存じでしょうか。

食べ物に含まれている脂質は、脂肪酸の種類によっていくつかのグループに分類されます（詳細は135ページ）。大きくは酸化しやすい「飽和脂肪酸」と「不飽和脂肪酸」です。

飽和脂肪酸は、牛肉や豚肉の脂身、バター、牛乳など主に動物性食品に含まれています。とりすぎると動脈硬化やガンを招くといわれています。

不飽和脂肪酸は植物や魚介類に含まれていて、動脈硬化や認知症予防によいとされています。

不飽和脂肪酸は、さらに一価不飽和脂肪酸と多価不飽和脂肪酸（n-3系脂肪酸とn-6系脂肪酸）に分けられます。青魚の脂身に含まれるのはn-3系脂肪酸で、動脈硬化や認知症を予防し、ガンを抑制するといわれます。ただ、酸化しやすいので、新鮮なものをとらなければ過酸化脂質になり、逆にからだに悪いものになってしまいます。新鮮なものを適度にとるようにしましょう。

n-6系脂肪酸は紅花油、大豆油、ごま油などに含まれています。適度にとると血液中のコレステロールを低下させますが、とりすぎると弊害があるといわれています。

酸化しやすい 飽和脂肪酸に注意！

飽和脂肪酸はとりすぎると、血液中の中性脂肪やコレステロールが増加して、肥満や動脈硬化を招き、免疫力を低下させてしまいます。酸化しやすいため、体内の過酸化脂質が増え、ガンの要因にもなります。これらを多く含む牛肉、豚肉など四足歩行動物をできるだけ控えることをおすすめします。

調理油にも配慮が必要 酸化しにくいものを選ぶ

大さじ1杯の調理油に含まれる脂肪酸

名称	飽和脂肪酸	一価不飽和脂肪酸	多価不飽和脂肪酸	
			n-3系	n-6系
オリーブ油	1.6 g	8.9 g	0.07 g	0.80 g
ごま油	1.8 g	4.5 g	0.04 g	4.91 g
紅花油	0.9 g	8.8 g	0.03 g	1.61 g
大豆油	1.8 g	2.7 g	0.73 g	5.96 g
菜種油	0.9 g	7.2 g	0.90 g	2.23 g
ひまわり油	1.2 g	3.3 g	0.05 g	6.90 g
やし油	10.1 g	0.8 g	0 g	0.18 g
牛脂	4.9 g	5.4 g	0.02 g	0.41 g
ラード	4.7 g	5.2 g	0.06 g	1.12 g
バター	6.1 g	2.2 g	0.03 g	0.22 g

＊大さじ1杯＝12gで計算

料理のときに使う調理油にも配慮が必要です。えごま油、亜麻仁油などは、n－3系脂肪酸なのでガン予防によいといわれますが、酸化しやすいという弱点があります。加熱すると酸化してしまうで、**加熱調理には使わないほうがいい**で、保存するときは冷暗所（冷蔵庫）に置き、開封後は1カ月を目安に使いきるようにしましょう。

加熱調理には酸化しにくい一価不飽和脂肪酸がおすすめです。**オリーブ油、菜種油、紅花油**などがあります。

ガンを招く脂質は避ける

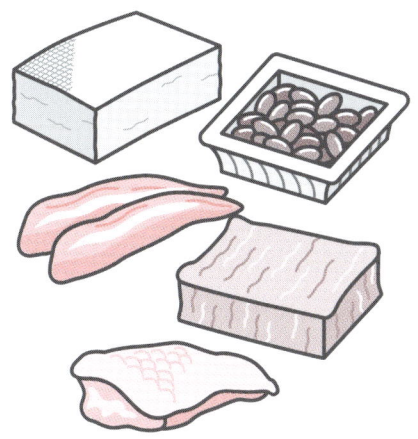

脂質の少ないものをとる

四足歩行動物と大豆に含まれるたんぱく質と脂肪酸

牛肉（乳用肥育）

名　　称	たんぱく質	飽和脂肪酸	不飽和脂肪酸
サーロイン（脂身つき）	16.5 g	11.36 g	14.11 g
かたロース（脂身つき）	16.2 g	10.28 g	13.31 g
バラ肉	12.5 g	15.84 g	21.9 g
もも肉	19.5 g	5.11 g	6.95 g
ヒレ肉	21.3 g	3.90 g	4.52 g

豚肉（中型種）

名　　称	たんぱく質	飽和脂肪酸	不飽和脂肪酸
かたロース（脂身つき）	17.7 g	7.37 g	10.43 g
バラ肉	13.4 g	15.39 g	21.93 g
もも肉	19.5 g	5.47 g	8.23 g
ヒレ肉	22.7 g	0.48 g	0.79 g
ひき肉	18.6 g	5.71 g	8.25 g

大豆・大豆製品

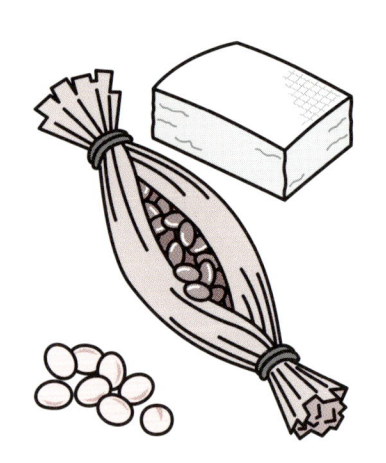

名　　称	たんぱく質	飽和脂肪酸	不飽和脂肪酸
大豆（ゆで）	16.0 g	1.22 g	6.66 g
木綿豆腐	6.6 g	0.74 g	2.95 g
絹ごし豆腐	4.9 g	0.53 g	2.10 g
糸引き納豆	16.5 g	1.47 g	7.29 g
油揚げ	18.6 g	6.12 g	24.37 g

＊すべて 100g 中の分量

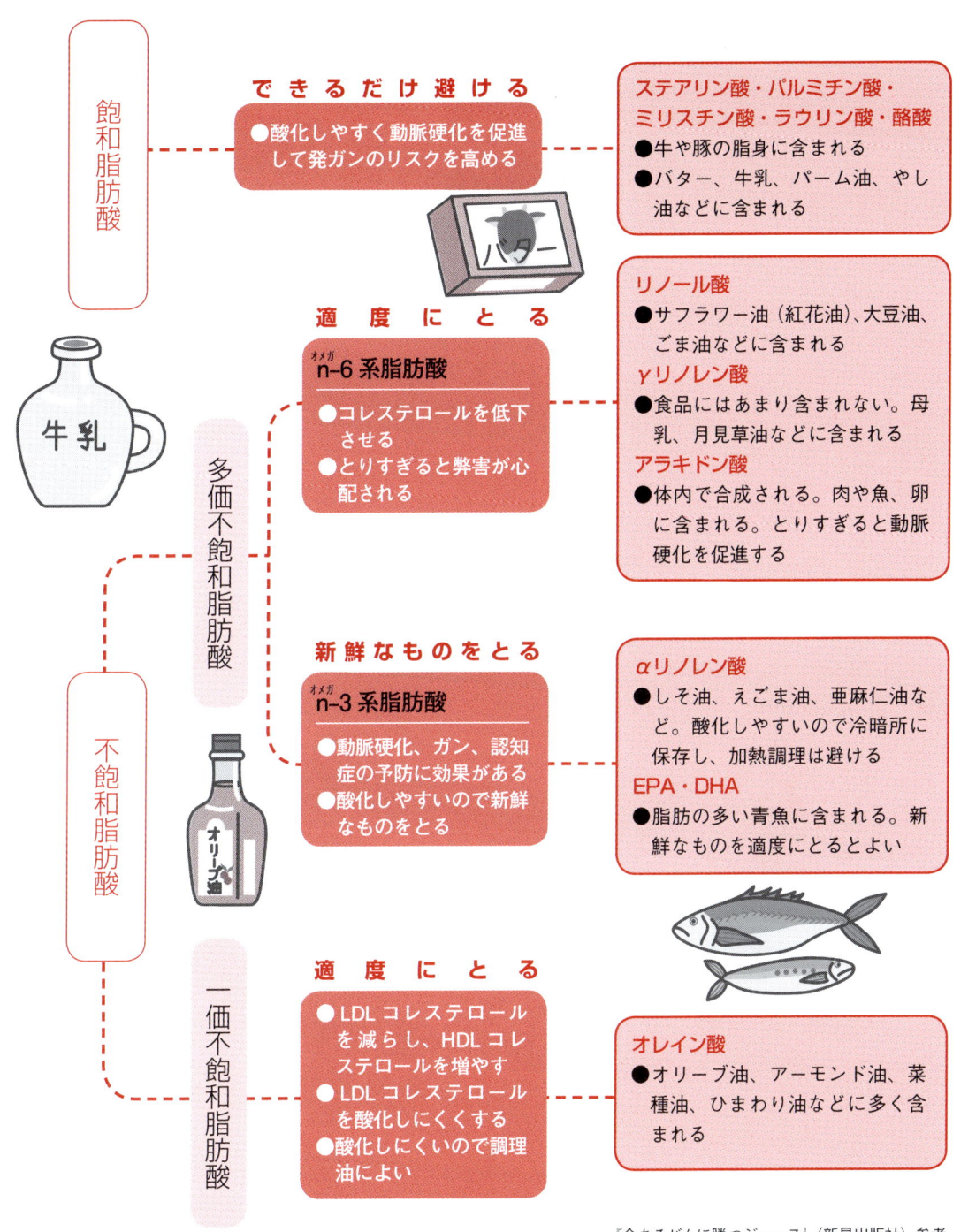

第4章 ■ ガンを引き起こすさまざまな要因

脂肪酸の種類とその働き

ガンの要因

飽和脂肪酸

できるだけ避ける
- 酸化しやすく動脈硬化を促進して発ガンのリスクを高める

ステアリン酸・パルミチン酸・ミリスチン酸・ラウリン酸・酪酸
- 牛や豚の脂身に含まれる
- バター、牛乳、パーム油、やし油などに含まれる

多価不飽和脂肪酸

適度にとる
n-6系脂肪酸（オメガ）
- コレステロールを低下させる
- とりすぎると弊害が心配される

リノール酸
- サフラワー油（紅花油）、大豆油、ごま油などに含まれる

γリノレン酸
- 食品にはあまり含まれない。母乳、月見草油などに含まれる

アラキドン酸
- 体内で合成される。肉や魚、卵に含まれる。とりすぎると動脈硬化を促進する

新鮮なものをとる
n-3系脂肪酸（オメガ）
- 動脈硬化、ガン、認知症の予防に効果がある
- 酸化しやすいので新鮮なものをとる

αリノレン酸
- しそ油、えごま油、亜麻仁油など。酸化しやすいので冷暗所に保存し、加熱調理は避ける

EPA・DHA
- 脂肪の多い青魚に含まれる。新鮮なものを適度にとるとよい

不飽和脂肪酸

一価不飽和脂肪酸

適度にとる
- LDLコレステロールを減らし、HDLコレステロールを増やす
- LDLコレステロールを酸化しにくくする
- 酸化しにくいので調理油によい

オレイン酸
- オリーブ油、アーモンド油、菜種油、ひまわり油などに多く含まれる

『今あるがんに勝つジュース』（新星出版社）参考

食品添加物がガンを引き起こす!?

今や入っていないものを探すほうが難しい食品添加物

日本にスーパーマーケットが誕生したのは1950年代、一般家庭に冷蔵庫が普及し始めたのも1950年代後半からです。この頃から「食品を保存する」ことができるようになりました。

それまでは、食べ物を保存するには、酢や塩など天然の調味料を用いていました。家庭用冷蔵庫やスーパーマーケットなどの出現によって、より長期間、食べ物を保存するために開発されたのが食品添加物です。食品添加物は加工食品をつくるとき、保存性を高めたり、食感をよくしたり、見た目をよくしたり、色や香りをつけたりするために用いられますが、自然由来のもののなかには安全性が確認されていないものもあります。肉や魚、野菜、果物など自然の食べ物以外には、ほとんどの加工食品に入っているといっていいでしょう。

できあいの総菜、ソーセージ、かまぼこ、調味料、缶詰、菓子パン、冷凍食品、レトルト食品、スナック菓子など、加工食品はスーパーマーケットに並んでいる商品の大部分を占めています。

現代の生活では、加工食品を食べず、食品添加物が入っているものを避けることは現実には難しいでしょう。

ほとんどが安全だがなかには要注意なものもある

現在、厚生労働省が認めている食品添加物は800種類近く。とても膨大な量です。食品添加物の**安全性**は、動物実験などで確認されているとはいわれますが、自然由来のもののなかには安全性が確認されていないものがあります。さらに、発ガン性、催奇形性（胎児への悪影響）が認められたにもかかわらず、少量であれば人体には影響ないだろうと推定され、認められているものもあります。

いくら少量でも、長年食べ続けたときになんらかの弊害が出てくるかもしれません。また、そうと知らずにたくさん食べてしまっているかもしれません。自分のからだを守るためにも、リスクの高い食品添加物を知り、それをできるだけとらないようにすることが必要な時代なのではないでしょうか。

発ガンのリスクがある要注意の食品添加物

発ガンのリスクが心配されるものの代表が「**亜硝酸ナトリウム**（亜硝酸Na）」です。発色をよくするために活用され、ウインナーやソーセージ、いくら、たらこなどの加工食品に含まれています。

第4章 ■ ガンを引き起こすさまざまな要因

リスクの高い食品添加物

名　称	多く含まれる加工食品
亜硝酸ナトリウム（亜硝酸Na）	いくら、すじこ、たらこ、ハム、ベーコン、ウインナー、ソーセージ、サラミ、ビーフジャーキー、魚肉ソーセージ、コンビニ弁当、駅弁など
亜硫酸ナトリウム（亜硫酸Na）	コンビニ弁当、駅弁、かに缶詰、ワインなど
漂白剤（次亜硫酸ナトリウム［次亜硫酸Na］、過酸化水素）	冷凍えび、甘納豆（色の濃い甘納豆には使用されていない）、かずのこ、カット野菜、パック入りサラダなど
タール色素（赤102、黄4、青1 など）	いくら、すじこ、たらこ、ウインナー、ソーセージ、梅干し、かまぼこ、グリンピース缶詰、フルーツ缶詰、漬け物、ゼリーなど
ソルビン酸	コンビニ弁当、駅弁、総菜、菓子パン、ハム、ベーコン、ちくわ、かまぼこ、はんぺん、魚肉ソーセージ、さきいか、さつま揚げ、漬け物など
安息香酸ナトリウム（安息香酸Na）	栄養ドリンク、炭酸飲料など
防カビ剤（オルトフェニルフェノール［OPP］、オルトフェニルフェノール−ナトリウム［OPP-Na］、チアベンダゾール［TBZ］、イマザリル、ジフェニル）	オレンジ、レモン、グレープフルーツなど（国産のものには使用されていない）
スクラロース	アミノ酸飲料、炭酸飲料など
アスパルテーム・L−フェニルアラニン化合物	アミノ酸飲料、コーラ、ガム、あめ、ダイエット甘味料など
カラギーナン	豆乳など
臭素酸カリウム（臭素酸K）	食パンなど

『食べてはいけない添加物 食べてもいい添加物』（渡辺雄二著／大和書房）参考

亜硝酸Naはいくらやたらこ、肉類に含まれるアミンと結びつくと、発ガン物質であるニトロソアミンにかわる危険性があります。最近では、そのリスクが心配されるため、亜硝酸Naが入っていない商品も出てきています。量を控えるか、どうしても食べたい、という人はそれらを選ぶようにしましょう。

ほかにも、「赤102」「黄4」などのタール色素は発ガン性が疑われていますし、「OPP（オルトフェニルフェノール）」「OPP−Na（オルトフェニルフェノール−ナトリウム）」などの防カビ剤は動物実験で発ガン性が確認されています。漂白剤もおすすめできません。

左表にリスクの高い食品添加物とそれが入っている加工食品を挙げています。参考にしてください。

ガンのリスクを高めるタバコとアルコール

菜食主義プラス禁煙・禁酒の効果

食生活をいくら改めても、タバコやアルコールなどガンを招くものをとっていては、意味がありません。

アメリカにセブンスデー・アドベンチスト教会（SDA）というプロテスタントの一派があります。彼らは菜食主義を推奨し、聖書にある不浄な生き物（豚肉、反芻（はんすう）しない生物、蹄（ひづめ）の割れていない生物、うろこやひれのない魚介類など）、タバコやアルコール、コーヒー、香辛料などを避けるようすすめ、卵、乳製品、精製していない穀類、野菜、果物、木の実などを積極的に食べています。

そのため、医学的な統計調査の対象となることがあるそうです。

その調査のひとつに、カリフォルニアで全住民とSDA信者との死亡率を比べたものがあります。おどろくべきことに、全住民に対し、SDA信者の死亡率はすべての項目で低くなっていました（左ページ表参照）。

特に、タバコとアルコールが関係している死因では、その割合が非常に低いことがわかります。

百害あって一利なしタバコの害

タバコには有害物質が200種類以上含まれているといわれます。特に、タールやニコチンは発ガン性物質としてよく知られています。

喫煙している人は、有害物質をどんどん体内に入れているわけですから、いくら食生活を改善したって、よくないものがそれを上回ってしまうことは当たり前のことです。

タバコが有害なことは周知の事実となり、禁煙が叫ばれるようになってきましたが、それでも40～49歳の男性では3人に1人が喫煙しています。女性にいたっては徐々に増えつつあり、最近では10％近くになっています。

健康のことを考えれば、今すぐ禁煙することをおすすめします。

適量を超えると有害になるアルコール

適量であれば心筋梗塞や脳梗塞を予防し、ストレス解消にも役立つことから、「酒は百薬の長」といわれます。

確かに、健康な人にとってはよい効果もありますが、ガン体質に陥っている人にとっては、アルコールは厳禁です。

アルコールは分解するときに、からだ

第4章 ガンを引き起こすさまざまな要因

ガンの要因

カリフォルニア州の全住民とSDA信者の死亡率

区分	項目	割合
	全死因	59%
タバコが関係する死因	肺ガン	20%
	口腔・咽頭・喉頭ガン	5%
	気管支炎・肺気腫	32%
	膀胱ガン	28%
アルコールが関係する死因	食道ガン	34%
	肝硬変	13%
	交通事故	54%
その他の死因	乳ガン	72%
	消化管のガン	65%
	白血病	62%
	卵巣ガン	61%
	子宮ガン	54%
	その他のガン	66%
	冠動脈疾患	55%
	その他の心疾患	65%
	脳卒中	53%
	糖尿病	55%
	胃・十二指腸潰瘍	42%
	自殺	31%

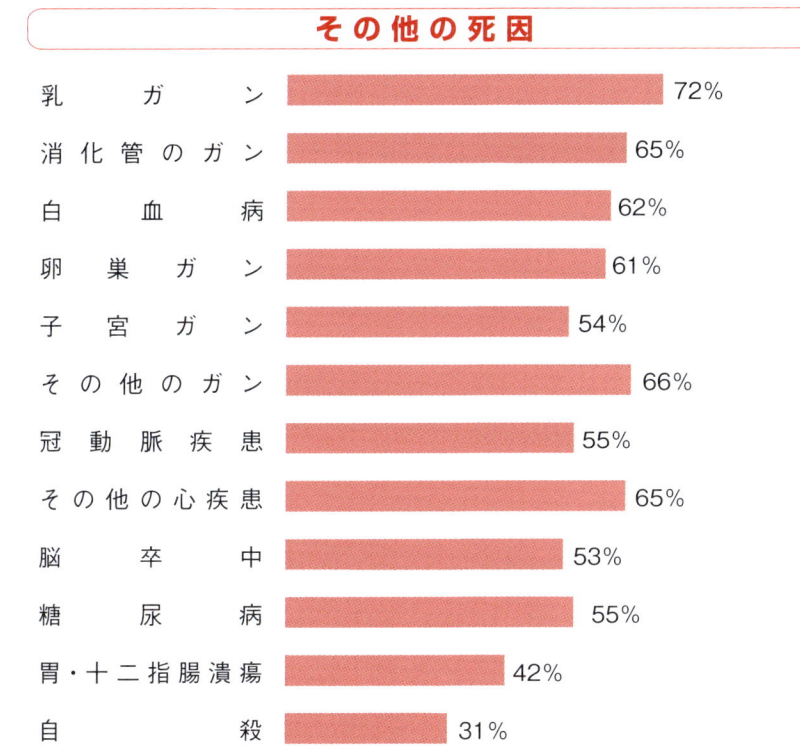

カリフォルニア州全住民を100とした場合のSDA信者の死亡率／1958～1965年

に有害なアセトアルデヒドという物質が発生します。健康であれば肝臓が処理してくれるので問題ないのですが、ガン治療中はこうした負担を肝臓にかけないほうがいいでしょう。治療が一区切りつくまでは禁酒し、症状が落ち着いてから少量を楽しんでください。

アルコール度数の高い酒を飲んでいると、咽頭や食道のガンを発症するリスクが数十倍になるという報告もあります。リスクの高いものはできるだけ避けたほうが安心ではないでしょうか。

知っておきたい農薬のリスク

ガン治療中はできれば無農薬野菜

カロテノイドやファイトケミカルなど、野菜や果物の有効成分は皮に多く含まれています。また、野菜を切って洗ったり、水にさらしてしまうと、大切なビタミンやミネラルが失われてしまいます。

野菜の有効成分やビタミン、ミネラルは、皮ごとジュースにして飲むと、効率よくとることができます。

そのため、済陽式食事療法では、**無農薬や低農薬、有機栽培**の野菜や果物を選ぶようすすめています。

これは、農薬や化学肥料のリスクを少しでも低くするためです。

日本で使用されている農薬は一定の安全基準を満たしていますが、害がまったくないというわけではありません。なかには毒があり、発ガン性や催奇形性（胎児への悪影響）が指摘されているものもあります。

健康であれば問題ないかもしれませんが、ガン治療中は少しでもリスクを減らしたほうがいいでしょう。

スーパーなどに並んでいる野菜や果物の30〜40％に、農薬が残留していたという調査結果もあります。できるだけ、無農薬、低農薬、有機栽培、可能なら**自然農法**（農薬や肥料を使用せず自然の状態で育てること）の野菜や果物を選ぶのが理想です。

皮をむく、流水につけるなど農薬を避ける工夫

し、野菜は皮をむいて使う、りんごやレモンなどは一晩水につけて農薬を洗い流してから使う（りんごは多少であれば皮ごと入れてもよいがレモンは皮をむく）など工夫しましょう。

調理するときには、皮がついた状態で洗ってから大きめに切る、流水にさらす時間を短くするなどして、有効成分やビタミン、ミネラルが失われないよう配慮するといいでしょう。

ただ、そうした野菜や果物は価格が高く、手に入りにくいという側面もあります。難しい場合は、ふつうのものを購入

安心・安全な水はどんなもの？

水道水に潜んでいる発ガンのリスク

日本の水道は世界一安全といわれます。最近は浄化装置が進歩して、昔に比べておいしくなったと評判です。確かに、水道水にはとおいしくなっていますが、水道水には**発ガンのリスク**が潜んでいます。

水道水は水源となるダムから浄水場に水を送り、そこで雑菌や汚れを取り除くために**塩素**を投入しています。水道水をそのまま飲めるのは、浄水場できちんと処理してあるからです。

塩素は家庭に届くまでにほとんどが除去されますが、完全に取り除くことはできません。この残った塩素を**残留塩素**と呼びます。

残留塩素が発ガン性物質である**トリハロメタン**をつくる原因となることは、さまざまな研究で明らかになっています。また、塩素が野菜や果物に含まれているビタミンを壊すこともわかっています。

こうした水道水の弊害を考えると、安全・安心な水を飲むほうが、よりガンのリスクを低くしてくれるでしょう。

ミネラルウォーターを購入したほうが安心

理想はわき水や井戸水のような自然の水をとることですが、現在の日本ではなかなか難しいといえます。個人がこうした水を飲料水に使うためには役所の検査を受けなければなりませんし、今の日本では土壌が汚染されている危険性がないわけではありません。

そう考えると、現実的なのはペットボトル入りの**ミネラルウォーター**を購入することでしょう。

最近では飲み水を購入している人も増えています。人によっては、調理する水にもミネラルウォーターを使うそうです。水を購入することをもったいないと思うか、ガンのリスクを少しでも下げるために必要と考えるかは、その人によってとらえ方が違うでしょう。

可能なら、特定の水源から採取して加熱殺菌されていない、ナチュラルミネラルウォーターをおすすめします。難しいようなら、せめて浄水器をつけることを検討してみてください。

目で見る食べ物とガンの関係

と生活習慣によるガンの予防に注目し、さまざまな研究や調査を行っています。2007年には、肥満のほか、ハムやベーコンなどの加工食品、赤身肉などもガンのリスクを高めると発表しています。

左の表は、野菜と果物が、ほとんどすべてのガンのリスクを下げることを如実に示しています。カロテン類、ビタミンC、ミネラル、穀類、でんぷん、食物繊維など、ガンのリスクを低下させる栄養素として紹介されているものは、どれも済陽式食事療法ですすめているものばかりです。

リスクを高める動物性食品 野菜や果物はリスクを下げる

左の表は「世界がん研究基金（WCRF）」が1997年にまとめたものです。世界がん研究基金は1990年にイギリスで設立された団体で、適切な食事

	膀胱ガン	腎臓ガン	甲状腺ガン	前立腺ガン	子宮頸部ガン	子宮体部ガン
	↓	↓	↓	↓	↓	↓
	↓	↓	↓		↓	↓
				↓		
				↓		
			↑ ヨードがリスクを高める			
		↑		↑		
		↑ 全脂肪と飽和脂肪酸がリスクを高める				↑ 飽和脂肪酸がリスクを高める
		↑		↑		
	↑					
	↑	↑	↑			↑
	↑				↑	

第4章 ガンを引き起こすさまざまな要因

「栄養とがんについてのまとめ」（世界がん研究基金／1997年）をもとに作成

ガンの要因

	口腔ガン	鼻咽頭ガン	喉頭ガン	食道ガン	肺ガン	胃ガン	膵臓ガン	胆のうガン	肝臓ガン	大腸ガン	乳ガン	卵巣ガン
野　　菜	▼		▼	▼	▼	▼	▼		▼	▼	▼	▼
果　　物	▼		▼	▼	▼	▼					▼	▼
カロテン類				▼	▼	▼				▼	▼	
ビタミンC	▼			▼		▼	▼					
ミネラル					▼ セレンがリスクを低下させる							
穀　　類				▲		▼ 精製していない全粒穀類がよい						
でんぷん						▲				▼		
食物繊維						▼				▼	▼	
緑　　茶						▼						
運　　動					▼				結腸ガン予防に効果的 ▼	▼		
冷 蔵 庫						▼						
アルコール	▲		▲	▲		▲			▲	▲	▲	
塩　　分	塩漬魚は避ける					▲						
肉　　類							▲			▲	▲	
卵　　類										▲		
調 理 法				加熱調理による焦げ ▲						加熱調理による焦げ ▲		
動物性脂質				▲ 全脂肪と飽和脂肪酸がリスクを高める						▲ 全脂肪と飽和脂肪酸がリスクを高める	▲	
牛乳と乳製品												
糖　　類										▲		
コ ー ヒ ー												
食品汚染									▲ アフラトキシンがリスクを高める			
肥　　満									▲	▲	▲	
喫　　煙	▲	▲	▲	▲	▲	▲	▲		▲			

凡例：
- ▼（大・赤）確実にリスクを低下させる
- ▼（中・赤）おそらくリスクを低下させる
- ▼（小・赤）リスクを低下させる可能性がある
- ▲（大・黒）確実にリスクを上昇させる
- ▲（中・黒）おそらくリスクを上昇させる
- ▲（小・黒）リスクを上昇させる可能性がある

エネルギーがつくられる過程

毎日の食事で生命維持に必要な食べ物をとる

食べたものは腸管で消化・吸収・分解されて
エネルギー代謝や細胞の代謝に利用される

クエン酸回路ではエネルギー代謝が行われている

クエン酸に戻る

酸素

クエン酸回路（TCA回路）

体内の酵素や吸収したビタミン、酸素を使って、クエン酸回路ではブドウ糖をさまざまな形にかえていき、エネルギー（ATP）をつくり出します。最終的にはクエン酸に戻り、再びエネルギー代謝に利用されます。

水・二酸化炭素

エネルギー発生

↓

活性酸素ができる

第5章 ガン体質改善に必要な栄養素の基礎知識

代謝の基本となる三大栄養素

私たちが食事をするのは、生命を維持するために必要な栄養素を取り入れるためです。栄養素とは、食べ物に含まれている、生命活動に必要で摂取しなければならない物質の総称です。一般的にいわれるものは、「炭水化物(糖質)」「脂質」「たんぱく質」「ビタミン」「ミネラル」の五大栄養素です。

エネルギー源となる炭水化物と脂質

炭水化物のなかには食物繊維も含まれていますが、エネルギー源にはなりません。そのため、「炭水化物」から食物繊維を除いたものを考えたものを「糖質」と呼びます。

どちらも、エネルギー源として利用されますが、炭水化物が1gあたり4kcalのエネルギーをつくり出すのに対し、脂質は1gあたり9kcalと倍以上になります。(詳細は132ページ)。

脂質は細胞膜やホルモンの原料となりますが、炭水化物が不足したときにはエネルギーとして利用されます。使われなかったものは脂肪細胞に蓄積され、いざというときに使われます。現代の日本では、栄養不足に陥ることはほとんどないため、肥満を招く要因といわれることが多いです。脂質は脂肪酸とグリセリンから構成されていて、脂肪酸の種類によっていい脂質とよくない脂質に分けられます。

人間のからだは約20種類のアミノ酸で構成されていて、このうち8種類は体内で合成できず、食べ物からとる必要があります。たんぱく質は肉類、魚介類、卵、乳製品、大豆・大豆製品、穀類などに多く含まれています。

健康な人はこれらの食品からバランスよくとるといいのですが、体内の代謝が正常に行われなくなっている人、すなわちガン体質に陥っている人は、動物性たんぱく質のとりすぎがガンを促進してしまいます。(詳細は130ページ)

食事療法の効果が出て、症状が落ち着くまでは植物性たんぱく質を中心にとるようにしましょう。

毛、血液、血管など、すべての細胞をつくる原料となります。たんぱく質はアミノ酸で構成されていて、代謝によってアミノ酸が結合・分解することで、体内の細胞は常につくりかえられています。

細胞をつくるもとになるたんぱく質

たんぱく質は皮膚、筋肉、内臓、髪の

たり、体重が減ったりします。

り、からだを動かしたり、内臓を動かしたりするためのエネルギー源となるのは糖質です。車にたとえるとガソリンのようなもので、不足すると疲れやすくなっ

146

第5章 ガン体質改善に必要な栄養素の基礎知識

三大栄養素の役割

炭水化物

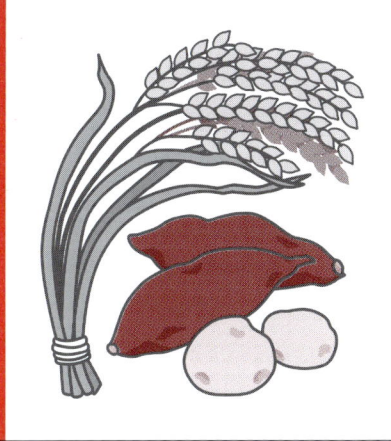

- 食物繊維も含まれている（食物繊維を除いた炭水化物を糖質と呼ぶ）
- 糖質は体内で消化・吸収・分解されてブドウ糖になる
- エネルギー源の中心となる（糖質は1gあたり約4kcal）
- 不足するとエネルギー不足に陥り、体重が減ったり、疲れやすくなったりする
- とりすぎると肥満を招く
- ブドウ糖をエネルギーにかえるクエン酸回路（詳細は144ページ）がスムーズに働くとガン予防によい
- そのためにはビタミンB群が不可欠

脂質

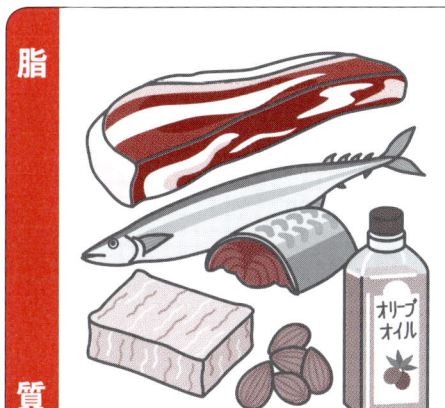

- 植物性食品、動物性食品に含まれる
- 細胞膜やホルモンの原料となり、効率のよいエネルギー源となる（1gあたり約9kcal）
- 不足すると血管が弱くなったり、皮膚がかさついたりする
- 動物性食品に含まれる飽和脂肪酸をとりすぎると動脈硬化を招き、免疫力を低下させる
- 青魚に含まれる不飽和脂肪酸は動脈硬化やガンの予防・改善に効くものがある
- コレステロールの量、脂肪酸の種類に注意する（詳細は132～135ページ）

たんぱく質

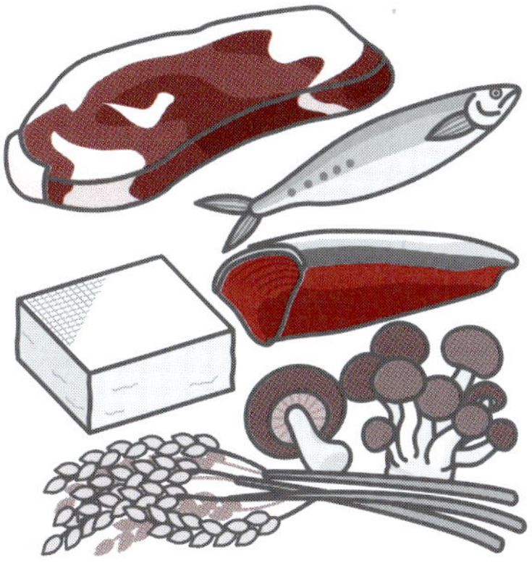

- 植物性食品、動物性食品に含まれる
- 筋肉、内臓、血管、血液、皮膚、髪の毛などすべての細胞をつくる原料となる。ホルモン、酵素、神経伝達物質、免疫細胞の原料にもなる
- 体内で消化・吸収・分解されるとアミノ酸になる
- 体内でつくられない8種類の必須アミノ酸（成人）は食事でとる必要がある
- 動物性たんぱく質をとりすぎるとガンのリスクが高くなる
- ガン予防のためには、1日にとる動物性たんぱく質の量は総エネルギー量の10％以内にしたほうがよい（詳細は130ページ）

代謝に欠かせないビタミン

ビタミンが不足すると病気になる！

ビタミンは1910年代に発見されました。ビタミンそのものはエネルギー源にはなりませんが、エネルギーをつくったり、細胞をつくりかえたりする代謝に欠かせない大切な栄養素です。

ビタミンB₁不足で発症する**脚気**は、江戸時代に大流行して江戸患いと呼ばれました。この頃、穀類を精米して食べるようになり、**玄米**ではなく**精白米**を食べるようになったためビタミンB₁が不足して起こったと考えられています。

脚気は大正時代、昭和初期など食糧事情の悪かった時代に増え、死者は1〜2万人にものぼったそうです。1950年代からは減少し、いまではほとんど聞きませんが、ガンが増えている一因にビタミンB₁不足があることを考えると、ビタミンがいかに大切かがわかります。

ほかにもビタミンC不足による壊血病（出血しやすくなり免疫力が低下する）、ナイアシン不足で起こるペラグラ（顔の発疹、吐き気、嘔吐、便秘、下痢、口内炎、のどや食道の炎症が起こる）など、ビタミン不足が引き起こす病気はいくつかあります。

ビタミンは代謝に欠かせない大切な栄養素です。不足しないようにすることがガン予防・改善はもちろん、健康維持のためには不可欠です。

代謝に欠かせないビタミンB群

ビタミンのなかには体内で合成されているものもありますが、すべてまかなえるわけではありません。やはり、毎日食事でとることが大切です。

ビタミンは、**脂質に溶ける脂溶性ビタミン**と、**脂質に溶ける水溶性ビタミン**があります。**水溶性ビタミン**は一度にたくさんとっても、必要なもの以外は尿といっしょに体外に排泄されてしまいます。ビタミンCやビタミンB群は、水溶性ビタミンなので、食事ごとにジュースなどにしてたっぷりとりましょう。

ビタミンAやビタミンEなど**脂溶性ビタミン**は、脂質といっしょにとると吸収されやすくなります。加熱などによる損失が少ないので、調理してとるといいでしょう。ただし、動物性食品に多く含まれていますし、体内に蓄積されるのでとりすぎは禁物です。ガン治療中は野菜や果物、きのこ類、ナッツ類などからとるようにしましょう。

サプリメントでとるという方法もありますが、野菜や果物には主要なビタミン以外にも有効な成分が含まれています。食べ物からとることをおすすめします。

148

ビタミンとその役割

	名称	役割	多く含まれる食べ物
脂溶性ビタミン	ビタミンA（βカロテン）	皮膚や粘膜を強化したり、免疫力を高めたり、腸管の消化吸収能力を高めたりする。βカロテンは体内で必要な量だけビタミンAにつくりかえられる	レバー、うなぎ、緑黄色野菜など
	ビタミンD	カルシウムとリンが腸管で吸収されるのを助ける	紅鮭、うなぎ、さんま、干ししいたけなど
	ビタミンE	抗酸化作用が強く脂質が過酸化脂質にかわるのを防ぐ	はまち、アーモンド、アボカド、ほうれん草、ひまわり油など
	ビタミンK	カルシウムが骨に沈着するのを助け、血液の凝固防止に働く	納豆、あしたば、ほうれん草、大根・かぶの葉など
水溶性ビタミン	ビタミンB群 ビタミンB1	糖質（ブドウ糖）の代謝を助けてクエン酸回路を活発に働かせる。疲労物質である乳酸を処理して疲労を回復させる	玄米、うなぎ、豚肉、たらこ、落花生、枝豆など
	ビタミンB2	糖質、脂質、たんぱく質の代謝に作用する。特に脂質の代謝には欠かせない	レバー、うなぎ、牛乳、納豆、アーモンド、卵など
	ナイアシン	糖質と脂質の代謝を助ける。アルコールの分解に欠かせない	なまりぶし、たらこ、かつお、レバー、玄米など
	ビタミンB6	たんぱく質の代謝に必要。免疫力を高めたり、赤血球の合成を助ける作用もある	レバー、かつお、ささ身、鮭、バナナ、さば、いわしなど
	ビタミンB12	葉酸とともに赤血球をつくる。神経細胞を健康に保つ作用もある	レバー、あさり、しじみ、かき、さんま、いわしなど
	葉酸	細胞の新陳代謝に欠かせない。胎児の成長に不可欠で妊娠中は多くとる。赤血球をつくる作用もある	レバー、菜の花、春菊、モロヘイヤ、いちご、アボカドなど
	パントテン酸	糖質、脂質、たんぱく質の代謝に必要。ホルモンの合成を促進する作用もある	レバー、納豆、アボカド、モロヘイヤなど
	ビオチン	糖質、脂質、たんぱく質の代謝に必要	レバー、卵、豆類、ナッツ類、トマト、にんじんなど
	ビタミンC	免疫力を高める。解毒作用もある。強い抗酸化作用で活性酸素を無害化する。一度にたくさんとるより、食事ごとにとるほうがよい	あしたば、ほうれん草、大根・かぶの葉など

生命の維持に必須なミネラル

とてもいいことだからです。

ミネラルの必要量はそれほど多くありません。しかし、カリウムが不足すると体内のミネラルバランスが障害されてしまいますし、ほかにも微量ではあっても代謝に必要なものばかりです。

栄養バランスのとれた食事をしていれば、不足することはまずありませんが、加工食品や総菜、ファストフード、カップラーメンなどを好む人は、必要なミネラルが不足している心配があります。季節の野菜、海藻類、果物などをバランスよくとるようにしましょう。そして、ガンを引き起こす食塩（塩化ナトリウム）はできるだけ控え、ナトリウムの排泄を促すカリウムをとって、体内のミネラルバランスを正常に保つことが大切です。

ガンに関係するカリウムとナトリウム

ミネラルもビタミン同様、エネルギー源にはなりません。金属と同じものも含まれ、なかにはとりすぎると有害なものもあります。

ヒトに必須といわれるミネラルは、16種類あります（左ページはそのうち13種類）。なかでも、体内に多く存在し、代謝にかかわるのは「ナトリウム」「カリウム」「カルシウム」「マグネシウム」「リン」「イオウ」「塩素」があります。

必要なのは微量だけれども代謝にかかわっているものが、「鉄」「亜鉛」「銅」「マンガン」「クロム」「モリブデン」「セレン」「ヨウ素」「コバルト」です。

なかでも、**セレン**はガンのリスクを低下させるといわれています。そして、何よりガンと深く関係してい

るのが「ナトリウム」と「カリウム」です。ナトリウムは一般にいわれる食塩のことです。とりすぎると高血圧を招くだけでなく、**体内のミネラルバランスを崩してガンを招く**といわれています（詳細は28ページ）。

カリウムはナトリウムといっしょに、体内のミネラルバランスを保つよう働いています。ガン細胞内のミネラルバランスはナトリウム濃度が高く、カリウム濃度が低いことがわかり、カリウムをたくさんとって、体内のミネラルバランスを改善することがガンの予防・改善によいのではないかと考えられています。

カリウムは野菜や果物に多く含まれていますが、水に溶けやすく、調理すると失われやすいという性質があります。済陽式食事療法で**大量の野菜・果物ジュース**をすすめるのは、ビタミンはもちろんですが、カリウムを効率よくとるために

必要なのは微量だが不足すると代謝が乱れる

必須ミネラルとその役割

名称	役割	多く含まれる食べ物
ナトリウム	体内のミネラルバランスを左右する。とりすぎるとバランスが崩れ、高血圧だけでなく、代謝異常を招きガンの要因となる。治療中はできるかぎり控える	いくら、たらこ、ちくわ、はんぺん、ハム、漬け物、塩鮭、佃煮、即席中華めん、チーズなど
カリウム	余分なナトリウムの排泄を促し、体内のミネラルバランスの安定に役立つ。腎臓病では摂取量が制限される場合がある	アボカド、ほうれん草、ひじき、里いも、あしたば、にら、じゃがいも、バナナなど
カルシウム	筋肉の収縮や神経伝達に欠かせない。不足すると骨や歯がもろくなる	牛乳、ヨーグルト、にぼし、水菜、桜えび、小松菜、大根の葉、モロヘイヤなど
マグネシウム	カルシウムを助けて骨や歯をつくり、筋肉を収縮させる	ほうれん草、アーモンド、ひじき、納豆、ごまなど
リン	骨や歯の代謝に必要。エネルギー源となるATPの構成成分となり、糖質の代謝を助ける	ししゃも、わかさぎ、レバー、そば、空豆、豚肉など
鉄	赤血球の構成成分となる。不足すると鉄欠乏性貧血になる。月経のある女性は不足しがち	レバー、あさり、ひじき、小松菜、ほうれん草、納豆、しじみなど
亜鉛	細胞の代謝やたんぱく質の合成を助ける。不足すると免疫力が低下し、味覚障害を招く	かき、レバー、たらばがに、うなぎ、かぼちゃの種、納豆など
銅	鉄の吸収や肝臓への貯蔵を助ける。抗酸化作用のある酵素（SOD）を活性化させる	かき、ごま、大豆、あずき、空豆、にぼしなど
マンガン	カルシウム、リンといっしょに骨の代謝に働く。抗酸化作用のある酵素（SOD）を活性化させる	パセリ、ごま、柿、あずき、玄米、大豆など
ヨウ素	甲状腺ホルモンの構成成分となる。成長期には発育を促進し、成人では代謝を促す作用がある	昆布、わかめ、のり、いわし、さば、かつおなど
セレン	抗酸化作用が強く、老化予防や動脈硬化予防、ガン予防が期待される。ビタミンCを効率よく使えるよう助ける	わかさぎ、いわし、ほたて、卵、乳製品など
クロム	血糖値をコントロールするインスリンの働きを助ける。中性脂肪やコレステロールの量を適正に保つ作用もある	ひじき、のり、玄米、小麦、胚芽など
モリブデン	糖質や脂質の代謝、鉄の代謝を助ける。尿酸をつくるときに欠かせない	納豆・豆腐など大豆製品、落花生、ごまなど

付録

ガンに効く栄養素

あ・い・え・お

アスタキサンチン

鮭、えび、かになどに含まれる赤い色素成分で、カロテノイドの一種。抗酸化作用が非常に高く、その力はビタミンEの約1000倍といわれる。活性酸素を無害化する力が非常に強く、ガン予防が期待される。

アスパラギン酸

アミノ酸の一種。アスパラガスの穂先に含まれ、アスパラガスから発見されたのでこの名がついた。肝臓でも合成される。免疫力を高める作用がある。

アラビノキシラン

米、小麦などイネ科の植物からとれる食物繊維。免疫力を高める成分として注目されている。ガン治療にアラビノキシランを吸収されやすくしたサプリメントを用いることもある。

αカロテン

カロテノイドの一種。動物実験で、カロテンよりも高いガン抑制作用が認められた。米国疾病管理予防センター（CDC）はαカロテンの血中濃度と、心血管病やガンによる死亡率の低下との関連があると発表。にんじん、さつまいも、かぼちゃ、ブロッコリーなどに多い。

アントシアニン

植物に含まれる赤や紫、青のもとになる色素の総称。ベリー類やプルーン、なすに含まれる。なすのアントシアニンをデルフィニジンという。抗酸化作用が非常に強く、視力改善に効く、過酸化脂質の産生を抑制するなどといわれる。

イオウ化合物

ユリ科、アブラナ科の植物に含まれる成分の総称。硫化アリル、アリシン、イソチオシアネートなどが含まれる。強い刺激臭や、強力な抗酸化作用があること

でよく知られている。

イソチオシアネート

アブラナ科の植物に含まれる辛み成分。スルフォラファンもこの一種。すりおろしたり、切ったりしたときに、酵素の働きでつくられる。消化をよくしたり、食欲を増進したり、血栓をできにくくしたり、さまざまな効果が期待できる。動物実験で、発ガンを予防することが確認されている。ガン細胞を自滅（アポトーシス）に導くものもある。

イソフラボン

大豆に含まれる成分。フラボノイドの一種。女性ホルモンと似たような作用があり、乳ガンや子宮ガンのリスクを低下させる。更年期障害の改善にも効果がある。大豆加工食品にも含まれている。

インドール

アブラナ科の植物に含まれる成分。遺伝子が傷つけられるのを抑制し、ガン細

付録 ■ ガンに効く栄養素

栄養素の基礎知識

EPA（エイコサペンタエン酸）

n‐3系の多価不飽和脂肪酸。血液中の脂質の濃度を下げて血液を流れやすくしたり、脳を活性化させたりする。動脈硬化を抑制するので、免疫力を高め、ガン予防にも効果が期待できる。

エピガロカテキンガレート

カテキンの一種。カテキンのなかで、もっとも抗酸化作用が高い。ガン予防、コレステロール抑制、血圧の安定、血糖値の上昇を抑える、腸内環境の改善などさまざまな作用が期待されている。

MDフラクション

βグルカンの一種。まいたけに含まれている。アメリカではガン抑制効果が認められ、代替療法ではMDフラクションのサプリメントが活用されている。乳ガン、肺ガン、肝臓ガン、子宮ガン、卵巣ガンに効果があるという報告がある。

オリゴ糖

糖質の一種。単糖が2〜4個結合している。乳酸菌やビフィズス菌など善玉菌のエサとなり、腸内環境を整える作用がある。植物に含まれているものや、微生物を利用して発酵させるもの、植物の多糖類を酵素で分解したものなどがある。ヨーグルトなどにも含まれている。

か・き・く・け・こ

カカオポリフェノール

カカオの実に含まれるポリフェノールの総称。LDLコレステロールが酸化するのを抑制する作用がある。動物実験の結果からは、リラックス作用のほか、アトピー性皮膚炎や花粉症の改善にも効果が期待できるといわれている。活性酸素を無害化するので抗ガン作用や免疫力アップが期待される。

カテキン

フラボノイドの一種。一般的には緑茶に含まれる、渋みや苦みの成分であるカテキンを指す。血圧の上昇を抑制する、血液中のコレステロール量や血糖値を調節する、老化を抑制する作用があるといわれる。抗酸化作用も強くガン予防効果も期待されている。

カプサンチン

赤い色素成分でカロテノイドの一種。とうがらし、赤ピーマンなどに含まれる。強い抗酸化作用が非常に強く、その作用はリコピンと同じ程度。発ガンを抑制するといわれ、動脈硬化を抑制する。

カルコン

あしたばの茎を切ったときに出る黄色い汁に含まれる成分。ポリフェノールの一種。強い抗酸化作用があり、活性酸素を無害化してガン予防に働く。血栓をできにくくし、抗菌作用がある。

カロテノイド

緑黄色野菜などに含まれる色素成分の総称。αカロテン、βカロテン、βクリプトキサンチンのように、体内でビタミンAにかわるもののほか、リコピン、ルテインなどが含まれる。強い抗酸化作用があり、ガンをはじめ生活習慣病予防によいといわれる。単独でとるよりも、複

オレアノール酸

テルペン類の一種。青じそに含まれる。オレアノール酸にはガン細胞の増殖を抑制する作用があるといわれる。

胞を縮小、発ガン性物質を無害化するといわれる。免疫力を高める作用もある。

153

ガングリオシド

植物の細胞膜に含まれる糖質の一種。さつまいもに含まれる。ガン細胞の増殖を抑制する効果があることが明らかになっている。加熱に弱いので、効果を高めるためには生でとるとよい。

キサントフィル

カロテノイドの一種で、黄色い色素成分。ほとんどの植物に含まれている。かぼちゃに多く含まれている。ルテインもキサントフィルの一種。抗酸化作用が非常に強く、ガン予防に作用する。

クエン酸

柑橘類に含まれる酸味成分。体内で吸収されにくいミネラルを包み込み、水に溶けやすくして腸管での吸収を促すキレート作用がある。体内ではクエン酸回路の構成成分となる。

ククルビタシン

きゅうり、メロン、すいかなどウリ科植物に含まれる苦み成分。テルペン類の一種。AからRまで種類がある。苦みの強いCには、抗ガン作用がある。

クマリン

柑橘類の皮に含まれる香り成分。過酸化脂質がつくられるのを抑制し、有害物質の解毒を促す。動物実験でガンを抑制することが確認された。

グルコシノレート

アブラナ科植物に含まれる辛み成分。肝臓の解毒機能を助ける作用があり、動物実験では、ガンの発症を抑制することが証明されている。

グルタチオン

体内にも存在しているが、ブロッコリー、ほうれん草などにも含まれている。抗酸化作用が強く、有害物質を解毒する作用や、活性酸素を無害化する。

クロロゲン酸

コーヒーやごぼうに含まれる成分でポリフェノールの一種。抗酸化作用が期待されていて、さまざまな研究が行われ、大腸ガン、肝臓ガン、糖尿病などの予防によいという研究結果がある。1日にコーヒーを3杯以上飲む人は、ガンの発生率が約半分に抑えられるという調査報告もある。

ケルセチン

フラボノイドの一種。玉ねぎの茶色い薄皮やそば、柑橘類に含まれている。強い抗酸化作用があり、抗炎症作用も認められている。動物実験では動脈硬化の抑制が報告されている。ビタミンCといっしょにとると、抗酸化作用が高まる。腺ガンの増殖を抑えるのではないかと考えられている。

コリン

細胞膜の構成や修復に関係に欠かせない栄養素。記憶力の低下に関係しているといわれる。体内でも合成されるが、卵黄、大豆製品などに含まれている。アメリカ医学研究所は必須栄養素として適正摂取量を定めている。

し・す・せ

シニグリン

アブラナ科の植物に含まれる成分。すりおろして酸素にふれるとイソチオシアネートになる。消化促進作用や利尿作用のほか、ガン細胞を自滅させる（アポトーシス）作用があることが発見された。

付録 ガンに効く栄養素

栄養素の基礎知識

ショウガオール・ジンゲロール

ショウガオールはしょうがの辛み成分。加熱するとジンゲロールになる。抗酸化作用が非常に強く、活性酸素を無害化してガン予防に作用する。血流をよくして免疫力を高める、代謝を促す、吐き気を抑えるといった効果もある。

ステロイドアルカロイド配糖体

植物の芽や皮に含まれる成分。じゃがいもの芽に含まれている。ガン細胞の増殖を抑制する作用があるといわれる。

スルフォラファン

アブラナ科植物、特にブロッコリーに含まれるファイトケミカルの一種。抗酸化作用が非常に強く、活性酸素を無害化し、体内の解毒機能を促す作用、ピロリ菌の殺菌効果などがある。1994年に抗ガン作用があることが発見された。

セサミノール・セサミン

ごまに含まれる抗酸化物質。ごまそのものに含まれるセサミンは、血液中のコレステロール量を低下させ、二日酔いのもととなるアセトアルデヒドの分解を促す。もっとも抗酸化作用が強いのは、ごま油に含まれるセサミノール。過酸化脂質がつくられるのを抑制し、ガンを予防する。

た・て・と

タウリン

いか、たこ、貝類などに多く含まれるアミノ酸の一種。血圧を正常に保ち、血液中のコレステロール量を低下させて、動脈硬化を抑制する。肝臓の解毒機能を助ける作用があるので、肝臓ガンをはじめ肝臓病に効くといわれている。

テアフラビン・テアルビジン

紅茶に含まれるポリフェノール。カテキンが発酵してかわったもので、紅茶の赤褐色のもととなる。抗酸化作用が非常に強く、ガン予防が期待されている。

DHA（ドコサヘキサエン酸）

n-3系の多価不飽和脂肪酸。体内でαリノレン酸から合成されるが、青魚にも含まれている。認知症の予防に効果があるといわれる。血液中の中性脂肪を低下させて、動脈硬化を抑制する。

テルペン類

柑橘類などに含まれる香りや苦みの成分。テルペノイドとも呼ばれる。抗酸化作用が非常に強く、発ガン物質の排出を促進するとされる。みかんやグレープフルーツの皮に含まれるリモネンがある。りんごに含まれるトリテルペノイドもテルペン類の一種。トリテルペノイドにはガン細胞の増殖を抑制する働きがある。

ひ・ふ・へ・ほ

ビタミンU

キャベツから発見されたので、キャベジンという呼び名もある。胃粘膜を保護する作用が強い。胃・十二指腸潰瘍を予防するだけでなく、傷ついた胃粘膜を修復する働きがあり、胃ガン予防が期待できる。体内でもつくられるが、キャベツ、レタス、パセリ、アスパラガスなどに多く含まれている。

ピラジン

ピーマンの香り成分。青汁の原料であるケールにも含まれている。血液をかたまりにくくして動脈硬化を抑制する。

155

ファイトケミカル
植物が紫外線や害虫などから、身を守るためにつくり出した化学物質の総称。ポリフェノール、フラボノイド、カロテノイドはファイトケミカルに含まれる。

フラボノイド
植物に含まれている成分。アントシアニン、カテキン、イソフラボンなどが含まれる。7000種類以上ある。

ペクチン・リンゴペクチン
ペクチンは水溶性食物繊維の一種（31ページ）で、腸内環境を整え、ガン予防に効く。リンゴペクチンはりんごに含まれるペクチンで、腸内の善玉菌を増やして悪玉菌の繁殖を抑制する。ヨーグルトといっしょにとると抗ガン作用が高まる。

フィチン酸（イノシトール6リン酸）
米ぬかに含まれるビタミン様物質。イノシトール6リン酸とも呼ばれる。抗酸化作用が非常に強く、活性酸素を無害化して免疫力を高める。NK細胞を活性化させる作用もある。コレステロールの代謝を促し、動脈硬化を抑制する。

フコイダン
海藻類のぬめりに含まれる成分。1996年に日本癌学会が、制ガン作用があると発表したため、注目を浴びた。肝機能を改善する、血圧を安定させる、アレルギーを抑える、ガンを抑制するなどといわれている。

フコキサンチン
海藻類に含まれる褐色の色素成分。ガン予防に効果があるといわれている。カロテノイドの一種。

βカロテン
緑黄色野菜に含まれる色素成分。テルペノイドの一種。抗酸化作用が非常に強く、活性酸素を無害化してガン予防に働く。

ベタイン
えび、たけのこなどに含まれる。食品添加物として利用される。有害なホモシステインをからだに必要なメチオニンにかえて、ガンの抑制に働く。

ヘスペリジン
みかんの薄皮に含まれる成分。発ガン性食物繊維の一種。免疫力を高めたり、抗ガン作用があるとされる。動物実験ではガンが縮小したという報告がある。

βグルカン
きのこ類などの細胞壁に含まれる水溶性食物繊維の一種。免疫力を高めたり、抗ガン作用があるとされる。動物実験ではガンが縮小したという報告がある。

βクリプトキサンチン
みかんやオレンジなどの柑橘類に含まれる色素成分。カロテノイドの一種。抗酸化作用が非常に強く、発ガンを抑制する作用が動物実験で確認されている。みかんを食べると皮膚に蓄積されるため、冬場にたくさん食べると、夏になっても血液中の濃度を高く保つことができる。

ヘミセルロース
植物の細胞壁に含まれる、不溶性食物繊維（詳細は31ページ）。

ペルオキシダーゼ
活性酸素を無害化する酵素。わさびや山いも、キャベツ、ごぼうなどに含まれている。体内でも合成され、だ液に含まれており、消化酵素として働く。消化酵素にはほかにアミラーゼ、オキシダーゼ

156

付録 ガンに効く栄養素

栄養素の基礎知識

などがある。アミラーゼは穀類や熟した果実に含まれ、でんぷんの消化を助ける。大根などに含まれるオキシダーゼは、消化を助けるだけでなく、魚の焦げに含まれる発ガン物質を分解する働きがある。

ポリフェノール
ポリは「たくさん」という意味で、植物に含まれる色素や成分の総称。フラボノイドもこれに含まれる。

む

ムチン
山いも、オクラなどに含まれるぬめり成分。ガンの転移を抑制する作用があるといわれている。60度以上に加熱すると作用が低下する。

り・る・れ

リオニレシノール
梅に含まれる成分。抗酸化作用が強く活性酸素を無害化する。

リコピン
トマトに含まれる赤い色素成分。カロテノイドの一種。抗酸化作用が非常に強く、ビタミンEの約100倍、βカロテンの2倍近いといわれる。ガンを抑制したり、遺伝子を活性化させたりするという報告がある。肝臓ガン、大腸ガン、前立腺ガンなどの予防に効くといわれる。

硫化アリル（アリイン・アリシン・アリキシン・アホエン）
にんにくやねぎ類に含まれる、刺激臭や辛み成分の総称。イオウ化合物のひとつで、刺激臭や辛みのもととなる。アリインは切ったり、すりおろしたりするとアリシンやアリキシンに変化する。アリシンはビタミンB1と結びついて、体内で効率よく利用できるようにする。アリキシンは細胞のガン化を抑制する。加熱するとアリインは、免疫力を高め、動脈硬化を予防するなどの作用があるアホエンにかわる。

ルテイン
カロテノイドの一種。ほうれん草やブロッコリー、ケールなどに多く含まれている。抗酸化作用が強く、活性酸素を無害化する。白内障、加齢性黄斑変性、大腸ガンの予防効果が期待されている。

ルチン
フラボノイドの一種。そばや玉ねぎに含まれる。抗炎症、血流改善などの作用がある。ビタミンCの吸収を促す。水に溶けやすいので、そばそのものよりもゆでた汁に溶け出ている。

レスベラトロール
ぶどうの皮に含まれる成分で、ポリフェノールの一種。抗酸化作用が非常に強く、抗炎症作用や抗腫瘍作用もある。

レンチナン
しいたけから抽出した物質で、βグルカンの一種。抗ガン作用、NK細胞の活性化が認められる。抗ガン作用の強さが注目されて、抗ガン剤に利用される。ほかに、免疫力を高めるサプリメントも開発されている。

よ

葉緑素（クロロフィル）
植物の緑色の色素成分。日光に当たると光合成を行い、光エネルギーを吸収する。免疫力を高め、ガン細胞の増殖を抑制するといわれている。

98,100,102,104,107,113,115,116,117,124,125,127,128,143
タウリン ・・・・・・・・・・・・・・・127,155
多価不飽和脂肪酸 ・・・・・・132,135
タバコ ・・・・・・・・・・・・・・・・・・・138
卵 ・・・・・・・・・・・・・・・・・33,49,123
玉ねぎ ・・・・・・・・・・・・・・・・・33,90
炭水化物 ・・・・・・・・・・・・・・・・146
胆のうガン ・・・・・・・・・・・・・・・143
たんぱく質 ・・・・・・・・・・・130,146
腸内環境 ・・・・・・・・・・・・・・・・・30
DHA（ドコサヘキサエン酸）
・・・・・・・・・・・・・・124,135,155
TNF ・・・・・・・・・・・・・・・・・・・・・74
デルフィニジン ・・・・・・・・・88,152
テルペン類 ・・・・・・110,111,155
豆腐 ・・・・・・・・・・・・・・・・・・・・・97
動物性たんぱく質 ・・・・・・・・・130
トマト ・・・・・・・・・・・・・・・・・32,86
鶏ささ身 ・・・・・・・・・・・・・・・・122
トリテルペノイド ・・・・・・・79,155
鶏肉 ・・・・・・・・・・・・・・・・・33,122

な・に・ね・の

なす ・・・・・・・・・・・・・・・・・・33,88
納豆 ・・・・・・・・・・・・・・・・・・・・・97
ナトリウム ・・・・・・・・・・・・28,150
菜の花 ・・・・・・・・・・・・・・・・・32,80
乳ガン ・・・・・・・・・・・・・・・・・・・・
78,98,109,116,123,124,143
乳酸菌 ・・・・・・・・・・・・・・・30,128
乳腺ガン ・・・・・・・・・・・・・・・・119
にら ・・・・・・・・・・・・・・・・・・33,92
にんじん ・・・・・・・・・・・・・・32,84
にんにく ・・・・・・・・・・・・・・・33,93
ねぎ ・・・・・・・・・・・・・・・・・・33,91
農薬 ・・・・・・・・・・・・・・・・・・・・140

は・ひ

肺ガン ・・・・・・・・・・・・・72,78,79,
84,86,102,107,109,116,143
はちみつ ・・・・・・・・・・・・32,33,120
白血球 ・・・・・・・・・・・・・・・・・・・22
白血病 ・・・・・・・・・・・・・・・78,104

バナナ ・・・・・・・・・・・・・・・33,103
パパイア ・・・・・・・・・・・・・33,107
ハーブ ・・・・・・・・・・・・33,53,110
パントテン酸 ・・・・・・・・・・・・・149
鼻咽頭ガン ・・・・・・・・・・・・・・143
ビオチン ・・・・・・・・・・・・・・・・149
ビタミン ・・・・・・・・・・・・・・・・148
ビタミンE ・・・・・・・・・・・・25,149
ビタミンA ・・・・・・・・・・・・25,149
ビタミンC ・・・・・・・・・・・・25,149
ビタミンB_{12} ・・・・・・・・・・・・・149
ビタミンB_2 ・・・・・・・・・・・・・・149
ビタミンB_6 ・・・・・・・・・・・・・・149
ビタミンB_1 ・・・・・・・・・・・98,149
ビタミンU ・・・・・・・・・・・・・・155
皮膚ガン ・・・・・・・・・78,79,93,
95,97,102,108,110,116,126
ピーマン ・・・・・・・・・・・・・・32,85
ピラジン ・・・・・・・・・・・・・・・・155
ピロリ菌 ・・・・・・・・29,116,128

ふ・へ・ほ

ファイトケミカル ・・・・・・・・・156
フィチン酸（イノシトール6リン酸）
・・・・・・・・・・・・・・・・・・・・98,156
フコイダン ・・・・・・・・・・・108,156
フコキサンチン ・・・・・・・108,156
豚肉 ・・・・・・・・・・・・・・・・・・・134
ぶどう ・・・・・・・・・・・・・・・・・・104
ぶなしめじ ・・・・・・・・・・・・・・109
不飽和脂肪酸 ・・・・・・・・・132,135
不溶性食物繊維 ・・・・・・・・・・・・31
フリーラジカル ・・・・・・・・・・・101
ブルーベリー ・・・・・・・・・・・・・104
プルーン ・・・・・・・・・・32,33,106
プロスタグランディンE_2 ・・・124
ブロッコリー ・・・・・・・・・・・32,73
ペクチン ・・・・・・・・・・・・104,156
ヘスペリジン ・・・・・・・・・101,156
ベタイン ・・・・・・・・・・・・127,156
βカロテン ・・・・・・25,84,89,156
βクリプトキサンチン ・・・102,156
βグルカン ・・・・・・・・・・・・・・156
ヘミセルロース ・・・・・・・・・・・156

ヘリコバクターピロリ ・・・・・・・29
ベリー類 ・・・・・・・・・・・・32,33,104
膀胱ガン ・・・・・・72,125,127,142
飽和脂肪酸 ・・・・・・・・・・・132,135
ほうれん草 ・・・・・・・・・・・・32,78
ほたて ・・・・・・・・・・・・・・・・・126
ポリフェノール ・・・・・・・・・・・157

ま・み・む・め・も

まいたけ ・・・・・・・・・・・・・・・・109
みかん ・・・・・・・・・・・・・32,33,102
水 ・・・・・・・・・・・・・・・・・・・・・141
ミネラル ・・・・・・・・・・・・・・・・150
ミネラルバランス ・・・・・・・・・・28
ムチン ・・・・・・・・・・・・・・・・・157
免疫力 ・・・・・・・・・・・・・・・22,24
もずく ・・・・・・・・・・・・・・・・・108
モロヘイヤ ・・・・・・・・・・・・33,81

や・よ

山いも ・・・・・・・・・・・・・・・33,96
葉酸 ・・・・・・・・・・・・・・・・・・・149
葉緑素 ・・・・・・・・・・・・・・77,157
ヨーグルト ・・・・・・・・・・・33,128

ら・り・る・れ

卵巣ガン ・・・・・・・・・・・・・・・143
リオニレシノール ・・・・・・121,157
リコピン ・・・・・・・・・・・・・86,157
硫化アリル ・・・・・・・・・90,91,157
緑茶 ・・・・・・・・・・・・・・・・33,116
りんご ・・・・・・・・・・・・・・33,100
リンゴペクチン ・・・・・・・100,156
ルチン ・・・・・・・・・・・・・・99,157
ルテイン ・・・・・・・・・・78,86,157
レスベラトロール ・・・・・・104,157
レタス ・・・・・・・・・・・・・・・・・・82
レモン ・・・・・・・・・・・・・・32,101
レンチナン ・・・・・・・・・・・109,157

わ

わかめ ・・・・・・・・・・・・・・・・・108
わさび ・・・・・・・・・・・・・・・33,114
済陽式食事療法 ・・・・10,12,16,36

さくいん

あ

- 青魚 ……………… 33,124
- 悪玉菌 …………… 30,128
- あさり …………… 45,126
- あしたば ………… 33,79
- アスタキサンチン 125,127,152
- アスパラガス …… 32,83
- アスパラギン酸 … 83,152
- アラキドン酸 …………… 135
- アラビノキシラン ……… 152
- アリイン ………… 90,91,157
- アリシン ………… 90,91,92,157
- アルコール …………… 138
- αカロテン ……………… 152
- アントシアニン … 82,106,152

い・う・え・お

- イオウ化合物 …………… 152
- 胃ガン ……… 29,72,84,86,93, 107,114,116,117,128,143
- イソチオシアネート
  ……… 72,74,80,107,152
- イソフラボン ……… 97,152
- いちご …………………… 104
- 一価不飽和脂肪酸 … 132,135
- EPA（エイコサペンタエン酸）
  …………… 124,135,153
- インドール ……………… 152
- ウコン …………… 33,115
- 梅酒 ……………… 33,121
- ATP ……………… 26,144
- NK（ナチュラルキラー）細胞
  ……………………… 22
- エネルギー ……………… 144
- えび ……………………… 127
- エピガロカテキンガレート … 153
- MDフラクション …… 109,153
- 塩素 ……………………… 141
- 塩分 ……………………… 12
- オリゴ糖 ………… 128,153
- オレアノール酸 … 111,153

か・き

- カカオポリフェノール … 119,153
- かき ……………………… 126
- 加工食品 ………………… 136
- 過酸化脂質 ……………… 24
- 活性酸素 ………… 24,144
- カテキン ………… 116,153
- かに ……………………… 127
- かぶ ……………………… 32,75
- カプサンチン …………… 85
- かぼちゃ ………… 33,89
- カリウム ………… 28,29,150
- カルコン ………… 79,153
- カロテノイド …………… 153
- ガングリオシド … 95,154
- 肝臓ガン ……… 72,76,78,84, 98,99,107,109,116,118,143
- キサントフィル … 89,154
- キャベツ ………………… 32,72
- 牛肉 ……………………… 134
- きゅうり ………… 33,87

く・け・こ

- クエン酸 ………… 101,154
- クエン酸回路 …… 26,144
- ククルビタシン … 87,154
- クマリン ………… 79,154
- クルクミン ……………… 115
- グルコシノレート … 75,76,154
- グルタチオン …… 76,154
- クレソン ………………… 111
- クロロゲン酸 …… 118,154
- 結腸ガン ………………… 118
- ケルセチン ……… 90,154
- 玄米 ……………… 27,33,65,98
- 口腔ガン ………… 86,143
- 抗酸化物質 ……………… 24
- 甲状腺ガン ……………… 142
- 紅茶 ……………… 33,117
- 喉頭ガン ………………… 143
- ココア …………… 33,119
- コーヒー ………… 33,118
- ごま ……………… 33,69,113
- 小松菜 …………… 32,76
- コリン …………… 123,154
- コレステロール ………… 132
- 昆布 ……………………… 108

さ・し

- 鮭 ………………… 33,57,125
- さつまいも ……… 33,95
- サニーレタス …… 32,82
- サポニン ………………… 97
- しいたけ ………………… 109
- 子宮ガン ………… 95,124,142
- 脂質 ……………… 132,146
- しじみ …………………… 126
- シニグリン ……………… 154
- じゃがいも ……… 33,94
- 十二指腸ガン …… 108,116
- 春菊 ……………… 33,77
- しょうが ………… 33,112
- 脂溶性ビタミン ………… 148
- 小腸ガン ………… 116,117
- 食道ガン ………… 86,116,143
- 食品添加物 ……………… 136
- 植物性たんぱく質 ……… 130
- 神経芽細胞腫 …………… 108
- 腎臓ガン ………… 115,142

す・せ・そ

- 膵臓ガン ………………… 143
- 水溶性食物繊維 ………… 31
- 水溶性ビタミン ………… 148
- ステロイドアルカロイド配糖体
  ……………………… 94,155
- スルフォラファン … 73,155
- 舌ガン …………… 118,125,127
- セレン …………………… 151
- 善玉菌 …………… 30,128
- 前立腺ガン ……… 86,98,142
- そば ……………………… 33,99

た・ち・て・と

- 大根 ……………… 32,33,74
- 大豆 ……………… 33,61,97,134
- 大腸ガン … 72,79,80,86,93,95,

159

●監修者略歴
済陽 高穂（わたよう・たかほ）

西台クリニック院長。千葉大学医学部臨床教授、三愛病院医学研究所所長。千葉大学医学部卒業後、東京女子医科大学消化器病センターに入局。米国テキサス大学外科教室に留学し、消化管ホルモンを研究する。帰国後、東京女子医科大学助教授、都立荏原病院外科部長、都立大塚病院副院長を経て現在に至る。手術、抗ガン剤治療、放射線治療というガンの三大療法に済陽式食事療法を組み合わせ、多くのガン患者さんを治癒・改善に導いている。主な著書に『今あるガンが消えていく食事』（マキノ出版）、『今あるガン3カ月でここまで治せる！』（三笠書房）など多数。監修書に『今あるがんに勝つジュース』（新星出版社）などがある。

●レシピ・料理製作
松尾みゆき（まつお・みゆき）

管理栄養士、料理研究家、フードコーディネーター。食品メーカーでメニュー開発に約5年携わり、独立。現在は健康と食事をテーマに書籍、雑誌、テレビなどを中心に活躍。著書に『毎日一緒に食べたい ふたりごはん』（ナツメ社）、『10分でできる子どものヘルシーおやつ』（PHP研究所）など。

PHPビジュアル実用BOOKS

食べ合わせでガンに勝つ！
ガンが消える食べ物事典
2011年5月10日　第1版第1刷発行

◎装幀・・・・・・・・・・近江デザイン事務所
◎ロゴ制作・・・・・・・・・・藤田大督
◎撮影・・・・・・・・・・三村健二、
　　　　　　　島崎陽子（監修者顔写真）
◎スタイリング・・・・・・・・・・高木ひろ子
◎イラスト・・・・しかのるーむ（戸倉美枝）
◎本文デザイン
　　　　　　　センターメディア（池江慎也）
◎編集協力・・・・・・・・大政智子、山本雄二、
　　　　　　　田中澄人、山下祥、山口祥子
◎校正・・・・・・・・・・くすのき舎、ぷれす

＊参考文献
『がん抑制の食品事典』（西野輔翼編／法研）
『食品成分表 改訂最新版』（香川芳子監修／女子栄養大学出版部）

監修者────済陽高穂
発行者────安藤　卓
発行所────株式会社 PHP研究所
　東京本部　〒102-8331 東京都千代田区一番町21
　　生活文化出版部　Tel.03-3239-6227（編集）
　　普　及　一　部　Tel.03-3239-6233（販売）
　京都本部　〒601-8411 京都市南区西九条北ノ内町11
PHP INTERFACE──http://www.php.co.jp/
印刷・製本所────凸版印刷株式会社

©Takaho Watayou 2011 Printed in Japan
落丁・乱丁本の場合は弊社制作管理部（☎03-3239-6226）へご連絡下さい。送料弊社負担にてお取り替えいたします。
ISBN978-4-569-79504-1